Henriét y Syffrajét

"Pam oedd o mor anodd? Pam oedd pleidlais i ferched yn rhywbeth mor ddychrynllyd o anodd i bobl mewn grym ei dderbyn?"

Angharad Tomos

Gwasg Carreg Gwalch

Argraffiad cyntaf: 2018

Rhif Llyfr Safonol Rhyngwladol:
978-1-84527-651-5

Cyhoeddwyd gyda chymorth Cyngor Llyfrau Cymru

Cynllun clawr: Eleri Owen
Lluniau: Efa Lois
Ffotograffau: Archif Caernarfon

Cyhoeddwyd gan Wasg Carreg Gwalch,
12 Iard yr Orsaf, Llanrwst, Dyffryn Conwy, Cymru LL26 0EH.
Ffôn: 01492 642031
Ffacs: 01492 642502
e-bost: llyfrau@carreg-gwalch.cymru
lle ar y we: www.carreg-gwalch.cymru

Argraffwyd a chyhoeddwyd yng Nghymru

Cyflwynedig i

Lleucu Non ac Elliw Siân

PROLOG

Llundain, 1914

Does yna ddim byd tebyg i gael eich parlysu gan ofn; i ofni rhywbeth mor ofnadwy fel bod eich corff wedi rhewi, a'ch traed wedi eu hoelio i'r llawr.

Clywed y sŵn ddaru mi gynta, sŵn eu sodlau'n dod i lawr y coridor, a sŵn tincial eu goriadau. Gallent fod yn dod i weld unrhyw un, ond gwyddwn mai at fy nrws roedden nhw'n dod. Ro'n i wedi paratoi fy hun cymaint ar gyfer y digwyddiad hwn, ond rŵan ei fod ar fin digwydd, fedrwn i wneud dim, dim ond syllu ar y drws a gobeithio y byddai rhywbeth yn tarfu arnyn nhw i'm harbed rhag y digwyddiad erchyll oedd o'm blaen. Deuai'r sŵn yn nes ac yn nes. Roedden nhw'n dod amdanaf, a doedd dim – dim oll y gallwn ei wneud i'w rhwystro.

Taswn i ond yn gallu toddi'n bwll o ddŵr ac anweddu fel na fyddai dim ar ôl ohonof ... diflannu drwy grac yn y ffenest ... disgyn yn farw, hyd yn oed – o leiaf, fyddwn i ddim yn fyw i orfod mynd drwy hyn.

Stopiodd y cerdded. Trodd yr allwedd yn y clo. Roedd y drws ar fin agor ...

Dwi ddim eisiau mynd ymlaen i ddweud y stori. Dwi ddim eisiau eich dychryn. Ond os na ddyweda i, fyddwch chi ddim yn gwybod, ac mae'n bwysig eich bod yn gwybod.

Dim ond drwy adrodd y stori mae modd i chi ddeall, felly mae'n rhaid i mi fynd ymlaen. Ond fydd o ddim yn ddarllen hawdd.

Y peth gwaetha oedd na ddaru mi lewygu. Daeth pedair warder i mewn, rhoi tywel o'm hamgylch a'm gwasgu i lawr ar y gwely nes nad oedd gen i obaith torri'n rhydd. Gwaeddais, ond trodd un a rhoi ei llaw dros fy ngheg. Dyna pryd daeth y meddyg i mewn, ac roedd gweld rhywun swyddogol felly yn fwy o sioc o'r hanner. Tan hynny, roedd pob doctor ddaeth i'm gweld yn ddyn ro'n i'n ymddiried ynddo, yn ddyn y gwyddwn fyddai'n fy helpu mewn gwendid ac yn peri i'r boen fynd i ffwrdd. Fel arall roedd hi y tro hwn. Roedd y doctor hwn am beri poen annioddefol i mi.

"Na!!" ceisiais weiddi, ond yn ofer.

Gafaelodd y doctor mewn peipen a phlygu drosta i gan ei rhoi i fyny 'nhrwyn. Tynnwyd y llaw oddi ar fy ngheg, a llyncais gymaint o awyr iach ag y medrwn. Wyddwn i ddim tan hynny y gallai trwyn rhywun fod mor sensitif. Roedd y boen yn erchyll. Dal ati i wthio'r beipen ddaru'r doctor, milltiroedd ohoni nes y gallwn ei theimlo yn dod i lawr tuag at gefn fy ngheg. Roeddwn eisiau chwydu.

"Aaaa ..." ond roedd yn rhaid i mi anadlu i gael fy ngwynt. Wnaeth y meddyg ddim siarad efo mi, ddim cydnabod fy modolaeth. Fedrwn i ddim troi fy nghorff i'r dde na'r chwith – roedd y warders yn gafael ynof fel gelen. Pan na allwn oddef mwy, stopiodd wthio'r beipen. Roedd y cyfan wedi peri i'm llygaid ddyfrio, fel y gallwn deimlo dagrau ar fy moch.

"Tydi ddim cymaint o rebel rŵan," meddai'r dewaf gan wenu.

A mwya sydyn, dechreuais wylo'n hidl. Ond er mwyn crio, mae'n rhaid i chi gael anadl, a doedd gen i ddim. Trïwch chi grio efo peipen i fyny'ch trwyn.

Doedd y driniaeth ond megis dechrau. Gafaelodd y meddyg

mewn twmffat, a gosod hwnnw ar ben arall y beipen. Roedd warder arall yn estyn am jwg, ac yn arllwys ei gynnwys i lawr y beipen. Cyn hir roedd y stwff – rhyw lysnafedd trwchus fel cawl – yn dod drwy 'nhrwyn. Wrth i mi wingo, gwasgodd y warder dew ei bys ar fy ffroen arall. Sugnais y stwff yn syth drwy 'nhrwyn, ac wrth gwrs, dyna oedd eu bwriad. Fedrwn i wneud dim arall. Ceisais anadlu drwy fy ngheg, ond dim ond ar erchwyn ymwybod ro'n i. Theimlais i ddim byd tebyg yn fy mywyd o'r blaen. Rhaid bod y doctor yn bryderus, gan iddo roi ei fysedd ar fy ngarddwn a theimlo curiadau fy nghalon. Am ba hyd fedrwn i oddef hyn? Wrth i mi fustachu am anadl, deuai rhagor o'r gymysgedd drwy nhrwyn. Er 'mod i wedi gwrthod bwyta am gyhyd, roedden nhw'n ei orfodi rŵan i'm corff.

Ymhen hir a hwyr, stopiodd y pwysau arnaf. Llaciodd y warders eu gafael arnaf, a thynnodd y meddyg y milltiroedd o beipen o'm trwyn. Gyda hi, daeth lot o fflem allan. Roedd fy nghorff fy hun yn codi pwys arnaf. Rhoddwyd y beipen mewn dysglaid o ddŵr a'm gadael i boeri a thagu, ac roedd fy ngwddf yn enbyd o boenus.

Ar ben bob dim, teimlwn fel bod y rhain i gyd wedi torri i mewn i'm cell ac ymosod arnaf. Teimlad felly oedd o. Ddywedodd neb air wrtha i, cynt nac wedyn, dim ond fy nhrin i fel gwraig wallgof.

Ac yn eu llygaid hwy, dyna ydw i. Wedi'r profiad yna, dwi'n dechrau credu hynny fy hun. Sut yn y byd y cefais fy hun mewn ffasiwn sefyllfa?

Trodd yr allwedd yn y clo. Ro'n i ar fy mhen fy hun drachefn.

Tu allan i'r gell, clywn lais merch yn galw arna i:

"Henriét! Henriét!"

Doedd gen i mo'r cryfder i'w hateb, ond doedd dim ots.

"Henriét! Dwyt ti ddim ar ben dy hun! Rydan ni efo ti – cawn dy weld di cyn bo hir."

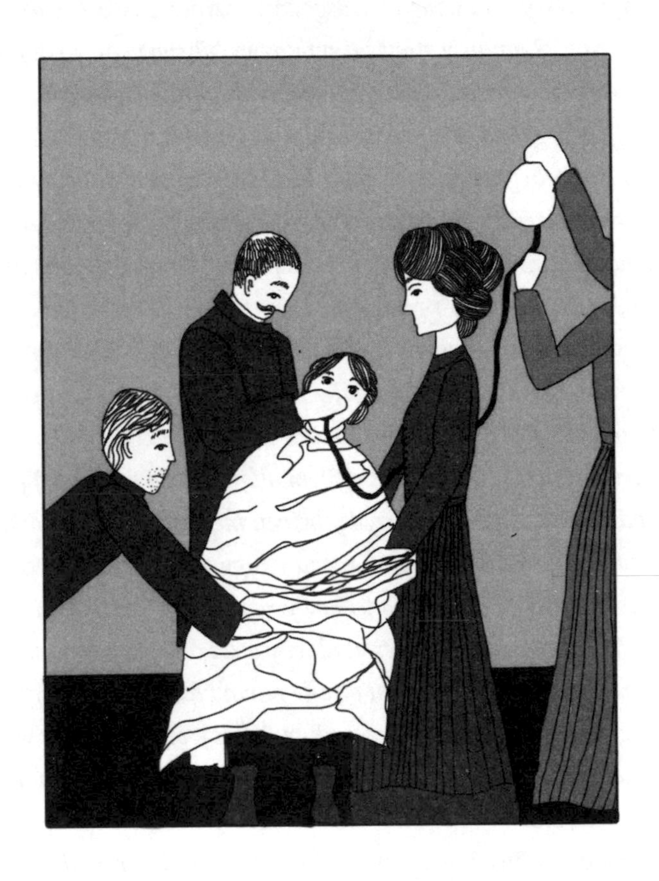

Pennod 1

Caernarfon, 1909

"Hen-ri-ét – hen het!" "Hen-ri-ét – hen het!" gwaeddai'r plant gan chwerthin ar ei phen, a dyna oedd y tro cynta i Henriét deimlo'n unig. Roedd yn adnabod pob un ohonynt, ond er iddi edrych i fyw eu llygaid, dim ond gwawd a welai. Peth sobor ydi lot o wynebau'n troi'n dorf, a rheini i gyd yn eich herbyn. Y cwbl fedrai Henriét ei wneud oedd atal ei hun rhag crio.

Dyna pryd y daeth Gladys Williams i sefyll wrth ei hochr. Mae'n syndod faint o wahaniaeth fedr un ei wneud.

"Caewch eich cegau'r diawlad. Be sy'n bod arnoch chi?" gwaeddodd, wedi gwylltio'n gacwn.

Tawodd y criw ac edrych yn syn.

"Ewch!" gorchmynnodd Gladys, a chwifio ei braich arnynt. "Ewch o'ma! Does gennych chi ddim cywilydd?"

Mwya sydyn, roedd yr hwyl ar ben, a throdd y plant fel un haid a diflannu. Trodd Gladys i edrych arni.

"Ti'n iawn, Henriét?"

Nodiodd Henriét a theimlo'r dagrau cynta yn cyffwrdd ei boch. Ni allai ddweud yr un gair.

"Tyrd, mi gerdda i adra efo ti," meddai Gladys yn ddi-lol. "Wn i ddim beth oedd yn bod efo nhw. Eisiau berwi'r cwbl lot mewn asiffeta."

Gwenodd Henriét. Ac o'r diwrnod hwnnw, roedd y ddwy ferch ifanc, Henriét yn bedair ar ddeg oed, a Gladys wedi cael ei phymtheg, yn ffrindiau. Byddai'r ddwy'n rhannu popeth – eu jôcs, eu cyfrinachau, eu breuddwydion a'u hofnau.

Deuai Gladys yn aml i gartref Henriét i chwarae, a chofiodd Henriét y diwrnod yr awgrymodd y gallen nhw chwarae yn nhŷ Gladys.

"Fedrwn ni ddim," meddai Gladys yn bendant, gan gochi. "Ond ti'n cael dod i 'nhŷ fi."

Am y tro cynta, doedd gan Gladys ddim i'w ddweud.

"Pam na cha i ddod i dy dŷ di?" gofynnodd Henriét wedyn, yn benderfynol o gael ateb.

A dyna pryd y bu'n rhaid i Gladys gyfaddef y gyfrinach. "Mae Dad yn yfed."

Cofiodd Henriét yr argraff wnaeth y frawddeg hon arni, a faint gostiodd hi i Gladys orfod cyfaddef. Gweithio ar y cei wnâi Abel Williams, ac er ei fod yn ddyn digon sarrug, doedd Henriét erioed wedi meddwl fod problem gartref. Cyfrinach y teulu oedd fod Abel yn or-hoff o'i beint, a byddai hyn yn achosi problemau. Roedd hi'n broblem gyfarwydd, yn effeithio ar lawer o gartrefi yn y dref, ond ar wraig y tŷ y byddai'r baich mwya bob tro. Roedd mam Gladys yn byw drwy uffern.

Gladys oedd yr hynaf o bump o blant, ac roedd disgwyl iddi ysgwyddo llawer o'r baich gartref. Roedd pob dim yn iawn os oedd yna drefn, ond yn rhy aml o lawer, câi'r drefn honno ei chwalu.

Yn ffodus, byddai'r plant yn glyd yn ei gwely ac yn cysgu'n sownd ar nos Sadwrn, ond un nos Sadwrn, deffrodd Gladys efo sŵn curo mawr ar y drws ffrynt. Clywodd sŵn traed ei mam yn rhuthro at y drws, a mentrodd Gladys i dop y grisiau, yn poeni fod lladron yn eu bygwth. Pan agorwyd y drws, un lleidr ddaeth dros y rhiniog, a hwnnw'n ddigon trwsgl ei gerddediad. Gwelodd ei mam yn taflu golwg ddirmygus arno, a hwnnw'n tagu ac yn rhegi dan ei wynt.

Pan gododd ei ben, dychrynodd Gladys o weld mai ei thad ydoedd, mewn cyflwr na welodd hi mohono ynddo erioed o'r blaen. Roedd o wedi meddwi gormod i symud, a'i mam fel delw o'i flaen.

"Ar be wyt ti'n syllu, dywed?" gofynnodd yn floesg.

"Paid â gweiddi, neu mi fyddi wedi deffro'r plant!" atebodd ei mam.

"Paid hyn, paid llall! Be haru ti, ddynas, yn rhefru arna i drwy'r amser?" meddai, gan wthio heibio iddi. Gafaelodd yn filain yn ei braich a'i thynnu o'r drws. "Tyrd o fan'no!"

"Dwi ddim wedi cloi'r drws, Abel," eglurodd hithau.

"Fi sy'n cloi'r drws, fi ydi'r penteulu," meddai Abel, gan gymryd y goriad gan ei wraig.

Bustachodd Abel efo'r goriad, ond yn ofer ac fe'i gollyngodd. Plygodd ei mam i'w godi, ond rhoddodd Abel gic hegar iddi nes iddi ddisgyn.

"Coda, ddynes – be wyt ti'n wneud ar lawr?"

Tu ôl i'r canllaw, syllodd Gladys ar ei mam yn codi'n araf, ac wedi iddi godi, gwasgodd Abel hi yn erbyn y wal.

"Fi sy'n cau drws, reit? Fi. Fi pia'r drws, fi pia'r tŷ, a fi pia ti – felly paid busnesu, dallt?"

Ar hynny, rhoddodd gelpan iddi, ac yn drwsgl, llusgodd ei hun i gyfeiriad y gegin.

Plygodd ei mam ei phen, a wylo'n hidl.

Yn ddistaw, ddistaw bach, ar flaenau ei thraed, aeth Gladys yn ôl i'w gwely. Roedd hithau bellach yn rhan o gyfrinach ddychrynllyd y teulu.

Y bore wedyn, roedd pawb yn smalio nad oedd dim yn bod, a thybiodd Gladys mai breuddwydio'r cyfan a wnaeth, cyn sylwi ar y chwydd ar foch ei mam.

Pennod 2

Gêm fyddai Henriét a Gladys yn hoffi ei chwarae yn aml iawn oedd 'Be tasa?' Roedden nhw'n trafod bob dim dan haul, ond un difyrrwch cyson oedd dyfalu sut ferched fydden nhw yn y dyfodol, a sut fyd yr hoffen nhw fyw ynddo.

Ar eu ffordd i'r Band of Hope roedd y ddwy y noson honno.

"Meddwl am flwyddyn, Henriét ..."

"1920."

"Paid â bod yn ddiflas, dos ganrif neu fwy i'r dyfodol – meddwl am 20— rhywbeth ..."

"2018."

"Sut fyd wyt ti eisiau i hwnnw fod?" holodd Gladys. Roedd ei dwy blethen yn siglo bob ochr i'w phen.

"Byd lle mae bob dim yn iawn, fatha nefoedd, am wn i," atebodd Henriét.

"Enwa betha ... deud betha go iawn ... dychmyga, breuddwydia!"

Dyna sut byddai Gladys pan oedd wedi cael chwilen yn ei phen – byddai'n mynd ymlaen ac ymlaen am y pwnc.

"Dwi ofn breuddwydio," atebodd Henriét yn onest.

"Ôl-reit, jest deud be fasa'r peth fyddet ti'n ei ddymuno fwya?"

"Cael mynd i'r coleg, am wn i," meddai Henriét. "Be fasa dy freuddwyd di?"

"Ti'n gwbod yn iawn – Dad yn rhoi'r gorau i yfed."

Syllodd Henriét ar ei ffrind, a gweld y tristwch yn ei llygaid.

"Meddwl am rywbeth arall, Gladys," meddai'n sydyn, "Be hoffet ei wneud yn 2018?"

Meddyliodd Gladys, a gwenu,

"Faswn i'n lecio ... i genod gael gwisgo fel hogia."

"Mae hynny'n wirion."

"Na, dydi o ddim. Meddylia mor hawdd fasa petha tasan ni'n cael gwisgo trwsus."

Roedd y syniad yn un mor hurt fel y dechreuodd y ddwy chwerthin yn wirion, a daeth yr hen agosatrwydd rhyngddynt yn ôl.

"Rhaid inni frysio neu fyddwn ni'n hwyr," meddai Henriét.

Cyflymodd eu camau.

"Meddylia di am rywbeth arall, Gladys."

"Faswn i'n lecio gallu hedfan."

Chwerthin gwirion unwaith eto.

"Pam ddim?" meddai Gladys. "Maen nhw wrthi'n dyfeisio awyrlongau."

"A deud y gwir, faswn i reit fodlon 'mond gallu gyrru cerbyd modur," meddai Henriét.

"Fasat ti'n lecio teithio i wlad bell?"

"Faswn i'n gallu gwneud hynny yn fy llong awyr, baswn?" atebodd Gladys. "I lle garet ti hedfan?"

"I wlad nad oes neb wedi bod ynddi o'r blaen ... naci, i'r lleuad!"

Chwerthin afreolus, ddaru beri i Henriét dynnu bob

ffrwyn ar ei dychymyg. O sylwi eu bod yn wirioneddol hwyr, brasgamodd y ddwy i lawr Stryd Llyn.

"Fe allen ni neidio i waelod y môr ..."

"Neu fynd i dop Weirglodd, a rowlio i lawr, lawr, lawr fel top – fatha oedden ni'n ei wneud ers talwm," meddai Gladys, wedi colli ei gwynt yn lân.

"Fasa pawb yn gweld dy nicyr di!"

"Ddim os baswn i'n gwisgo trwsus!" atebodd Gladys yn fuddugoliaethus.

Wedi hyn i gyd, roedden nhw'n hwyr yn cyrraedd y Band of Hope, ac wrth gwrs, wrth gael cerydd, cafodd Gladys ffit o giglo. Doedd Mr Parry ddim yn hapus.

"Y drwg efo chi, Gladys Williams, yw eich bod yn tyfu i fod yn hogan hy."

Sobrodd Gladys a theimlo cywilydd. "Mae'n ddrwg gen i, Mr Parry."

"Faswn i'n feddwl wir. Henriét – dwi ddim eisiau i Gladys eich arwain ar gyfeiliorn ... a chithau'n dod o gefndir parchus."

"Mae'n ddrwg gen inna, Mr Parry."

Roedd y dosbarth yn fwy diflas nag arfer wedi cychwyn mor anffodus. Cafodd y plant ddarlith ar beryglon diod feddwol, ac fel dywedodd Gladys dan ei gwynt, "Dwi'n meddwl y gallwn i roi'r ddarlith hon yn well na hwn. Dydi o 'rioed wedi cyffwrdd diod feddwol yn ei fywyd. Dwi'n byw efo alcoholig."

Rhoddodd winc ar Henriét. Ond sylwodd ei ffrind mai dyna oedd y tro cynta i Gladys gyfeirio at ei thad gan ddefnyddio'r term hwnnw. Roedd galw pethau wrth eu henwau iawn mor bwysig.

Pennod 3

Ambell waith yn yr ysgol, doedd pob gwers ddim yn llethol o ddiflas. Un pnawn, roedd Miss Williams Welsh wedi adrodd cerdd arbennig iawn i'r dosbarth:

'Cwsg ni ddaw i'm hamrant heno,
Dagrau ddaw ynghynt.
Wrth fy ffenestr yn gwynfannus
Yr ochneidia'r gwynt.

Codi'i lais yn awr, ac wylo,
Beichio wylo mae;
Ar y gwydr yr hyrddiai'i ddagrau
Yn ei wylltaf wae ...'

Edrychodd Henriét yn sydyn ar Gladys oedd yn eistedd drws nesaf iddi, a gwelodd y dagrau ar ei boch. Ni ddywedodd Henriét ddim byd, ond roedd y tawelwch llethol yn y dosbarth wedi creu awyrgylch ryfedd.

"Ydych chi'n teimlo angerdd y bardd?" holodd Miss Williams. Roedd hithau wedi sylwi ar ddagrau Gladys, ond gadawodd iddi fod. Aeth yn ei blaen.

"Sylwch fel mae'r bardd yn ailadrodd y gair 'wylo'. Mae'n

personoli'r gwynt – yn rhoi teimladau dynol iddo – ac yn deud ei fod yn 'ochneidio' ac 'wylo'. Nid crio cyffredin mo hwn, ond crio o waelod calon – '*beichio* wylo mae'. Mae o'n *hyrddio* ei ddagrau, mae ei wae yn *wyllt*. A rydan ni'n derbyn fod yna deimladau arbennig o gryf yn cael eu trafod yma."

Meddyliodd Henriét am yr amser roedd hi wedi torri ei chalon. Dyna sut oedd crio go iawn yn teimlo, dagrau poeth ar ei boch, ei thu mewn yn crynu ac yn wyllt, a'i phen bron â chracio. Rhyfedd oedd clywed rhywun arall yn disgrifio teimlad fu mor bersonol iddi hi.

"Wyddon ni ddim beth sy'n peri'r fath dristwch nes y down at y pennill olaf, ac mae John Morris-Jones yn bod yn hynod o gynnil. Gwrandewch:

'Pam y deui, wynt, i wylo
At fy ffenestr i?
Dywed im, a gollaist tithau
Un a'th garai di?'

Mewn pedair llinell, cawn wybod beth sydd wedi torri calon y bardd, dim ond oherwydd y gair 'tithau' – mae hwnnw'n datgelu'r cyfan. Mae yna golled wedi bod yma, profedigaeth o bosib."

"Wyt ti'n iawn, Gladys?" sibrydodd Henriét wrth ei ffrind.

"Ydw, chlywais i 'rioed gerdd mor drist," atebodd Gladys, oedd yn teimlo pethau i'r byw.

"Eich gwaith cartre fydd dysgu'r gerdd hon, ac unwaith y byddwch wedi gwneud hynny, bydd hi yn eich cof am byth." Ar hynny, canodd y gloch, a chododd y dosbarth a mynd allan.

Yn y pnawn, gwers wniadwaith oedd ar yr amserlen, ac roedd Henriét a Gladys a'r merched eraill yn dysgu sut i wnïo twll botwm. Doedd yr un o'r ddwy yn mwynhau gwnïo, ond roedden nhw'n hoffi'r athrawes, Miss Davies. Byddai'n aml yn siarad efo'r merched am y frwydr dros hawliau merched. Doedd yna'r un athrawes arall yn fodlon gwneud hynny.

"Ydych chi'ch dwy wedi bod yn ddrwg yr wythnos hon?" meddai efo gwên. Un arw oedd hi am dynnu arnyn nhw.

"Na, rydan ni wedi bod yn genod da iawn, miss," atebodd Henriét, "ar wahân i gyrraedd yn hwyr i'r Band of Hope. Honno oedd yr unig row gawson ni."

"A faint o ddarllen ydych chi wedi ei wneud?"

"Dim cymaint yn ddiweddar, rhaid i mi gyfadde."

Edrychodd Miss Davies arni'n ddifrifol. Yn ei golwg hi, peidio darllen oedd y pechod mwya. Byddai'n dadlau drwy'r amser mai dyma oedd yn symud merched ymlaen.

"Gawson ni gerdd arbennig o dda yn y wers Gymraeg," meddai Gladys. "Chlywais i 'rioed gerdd debyg iddi, ond ei bod hi'n drist."

"Cerddi trist ydi'r rhai gorau," meddai Miss Davies efo gwên. "Tydi hynny'n beth rhyfedd?"

Yr hyn oedd yn dda am Miss Davies oedd ei bod yn eu trin fel oedolion. Er mai gwnïo oedd testun y wers, wrth wnïo byddai sgwrs efo Miss Davies yn gallu mynd i unrhyw gyfeiriad. Ar ddiwedd gwers wnïo, byddai Henriét a Gladys yn teimlo eu bod wedi dysgu mwy am fywyd. Ac roedd Miss Davies yn hwyliog ac yn barod iawn i chwerthin.

Pennod 4

Daeth mam Henriét adre o'r cyfarfod merched un noson wedi ei dychryn yn ofnadwy.

"Ann," meddai ei gŵr, "rwyt ti fel rhywun wedi gweld trychiolaeth!"

"Chredech chi ddim be sydd wedi digwydd," meddai Ann. "Y sôn ydi fod Marjorie Dunlop wedi cychwyn streic newyn."

"Mae hynny yn ddifrifol. Stedda i lawr a deud yr hanes yn iawn. Gwna baned i dy fam, Henriét, iddi hi gael cyfle i orffwys."

Wrth ferwi'r tecell, meddyliodd Henriét am y wraig hynod. Rhyfedd fod dynes mewn carchar yn Llundain yn gallu cael y fath effaith ar ferched yng ngogledd Cymru. Roedd wedi clywed am Miss Dunlop, ac wedi dilyn ei hanes. Roedd yn y carchar am ludo'r Bil Hawliau ar waliau'r Senedd.

Daeth â'r hambwrdd i mewn â phaned i'r tri ohonyn nhw, gan eistedd ar y soffa i wrando ar ei mam.

"Be arweiniodd at hyn?" gofynnodd ei thad.

"Mynnu cael ei thrin fel carcharor gwleidyddol mae hi ... mae'n deud nad carcharor cyffredin ydi hi, a'i bod wedi cyflawni trosedd wleidyddol ac y dylai gael ei thrin fel carcharor gwleidyddol."

"A be sy'n bod efo hynny?" holodd Henriét, gan ei fod yn swnio'n gais hollol resymol iddi hi.

"Wnawn nhw ddim, Henriét – byddai hynny'n dangos parch at y Syffrajéts. Ac am nad ydyn nhw'n fodlon ei thrin fel carcharor gwleidyddol, mae wedi sgwennu at y Prif Weinidog a deud ei bod yn gwrthod bwyta – tan y caiff ei statws."

Roedd ei mam yn amlwg dan deimlad, a gafaelodd ei gŵr yn ei llaw.

"Mae'n gam aruthrol i'w gymryd, Ann."

"Ofn be allai ddigwydd ydw i – Ifan – be tasa hi'n marw? Mi fydda hynny'n erchyll."

Bu ei mam yn dawel am hir, a steddodd Henriét efo hi ar y soffa, yn dychmygu pa amodau roedd Miss Dunlop yn eu dioddef.

"Dwi'n meddwl am y greadures yn ei chell ar ei phen ei hun bach, a neb yn gwmni iddi. A dwi'n meddwl amdani eisiau bwyd a chysur, ac mae hi wedi penderfynu gwneud hyn, ond fedra i ddim meddwl mor unig ydi hi."

"A dewr, Mam."

"A dewr." Dechreuodd y dagrau lifo. "A dwi'n meddwl sut ar wyneb y ddaear mae ei mam hi'n mynd i ddod drwy hyn. Fedra i ddim dychmygu bod yn ei sgidiau."

Aeth ei thad at ei mam a rhoi coflaid i geisio ei chysuro, ond parhau wnaeth y dagrau. Meddyliodd Henriét gymaint o gariad oedd rhwng y ddau, a thybed fyddai hi'n cyfarfod person felly ryw ddydd – person fyddai'n ei deall i'r dim. Ond unwaith y byddai'n priodi, byddai'n eiddo i'w gŵr, ac roedd y syniad o rywun arall yn berchen arni yn chwerthinllyd i Henriét. Dywedodd yn aml na fyddai hi byth bythoedd yn priodi.

Y noson honno, aeth draw i dŷ Gladys a gofyn a fyddai modd iddi gael siarad â hi'n dawel.

"Tyrd i'r cefn efo mi, dwi fod i dynnu'r dillad oddi ar y lein – bydd hynny'n gyfle i ni," a sylwodd Henriét fod llygaid ei ffrind yn sgleinio. Unrhyw awgrym o gynllwyn neu syniad cyffrous, a byddai Gladys wrth ei bodd.

Yng nghefn y tŷ gwyliodd Henriét ei chyfaill yn tynnu'r dillad a'u rhoi yn y fasged. Fyddai Henriét byth yn helpu ei mam efo tasgau o gwmpas y tŷ; falle ei bod yn hen bryd iddi ddechrau.

"Wel, be sydd gen ti i'w ddeud?" holodd Gladys, yn llawn diddordeb.

"Glywaist ti'r newydd am Marjorie Dunlop?"

Doedd Gladys ddim wedi clywed, a steddodd ar y grisiau i glywed y newyddion dwys. Soniodd Henriét mor ofidus oedd ei mam ynglŷn â'r helynt.

"Mae'n rhaid i ni wneud rhywbeth, Gladys," meddai Henriét.

"Edrych arnon ni," meddai Gladys yn ddifrifol. "Dwy hogan ifanc iach, yn ysu am chwarae ein rhan yn y frwydr, a'r cwbl rydan ni'n ei wneud ydi ista'n yr iard gefn efo pentwr o ddillad a'm ffedog yn llawn o begia!"

Cododd ar ei thraed. "Tyrd, gad inni wneud rhywbeth!"

"Trio meddwl be fedrwn ni ei wneud ydw i," meddai Henriét wrth fynd yn ôl i'r tŷ.

Tynnodd Gladys ei ffedog, a'i rhoi ar y bwrdd.

"Falle mai'r peth pwysica ydi gadael i bobl wybod – mi fedren ni wneud poster, a'i osod yn rhywle yn y dre."

Cyn pen dim, roedd Gladys wedi cael paent a brwsh ac yn barod i sgwennu.

"Be sgwennwn ni?"

"Rhywbeth byr sydd ei angen – 'Cofiwch Dunlop'?" awgrymodd Henriét.

"Dydi Dunlop ddim yn golygu dim i lawer. 'Votes for Women' ydi'r slogan Saesneg."

"Y Fôt i Ferched?"

"Hwnna ydi o! Wyt ti eisiau ei sgwennu?" holodd Gladys. "Mi wnei di joban fwy taclus. Rho dipyn o flawd i mi, a mi wna i'r glud."

O fewn ugain munud, roedd y poster wedi'i greu a'r glud yn barod, ac roedd y ddwy wedi cynhyrfu.

"Tyrd!" meddai Gladys, a'i llygaid yn sgleinio.

Wrth iddi gamu drwy'r drws, ac edrych i fyny ac i lawr y stryd, trodd Henriét ati a diolch iddi.

"Dwi'n falch ofnadwy dy fod yn barod i wneud hyn, Gladys, Nid pawb fasa'n fodlon ..."

"Fedri di ddibynnu arna i. Dwi wedi bod eisiau gwneud hyn ers cymaint o amser. Mae'r sefyllfa'n uffernol a dwi ddim yn mynd i sefyll a gwylio merched fatha Mam yn diodda rhagor."

Mwya sydyn, roedd y cwbl yn glir fel grisial.

"Tyrd," meddai Henriét, ac i ffwrdd â nhw.

Roedd y daith i ganol y dref yn un erchyll. Teimlai Gladys ei dwylo'n crynu a'i gwynt yn byrhau. Roedd calon Henriét hithau yn ei gwddf.

"Mae rhywun yn dod, Gladys."

"Gerddwn ni'n ein blaenau, a gadael iddo fynd heibio."

Cerddodd y gŵr heibio i'r ddwy.

"Noswaith dda."

"Noswaith dda," atebodd Gladys – roedd Henriét yn rhy nerfus i ddweud yr un gair.

Y
FÔT
I
FERCHED

"Reit, mi drown yn ein holau," meddai Gladys.

"Be oedd yn mynd drwy ei feddwl wrth weld pot glud yn fy llaw?"

"Fasa fo ddim wedi sylwi. Mae 'na flwch postio yn fan hyn, rown ni'r poster arno fo?"

"Rho'r glud yn gynta."

Edrychodd Henriét i weld a oedd rhywun o gwmpas.

"Henriét – y brwsh!"

Yn frysiog, a'i bysedd ym mhobman, gosododd Henriét y glud, ond roedd yn anodd gweld yn y golau egwan. Gosododd Gladys y poster.

"Mae'n well rhoi haen arall o lud drosto."

"Does dim llawer yn weddill."

Yr unig beth ar feddwl Henriét oedd dianc, a theimlai fod Gladys yn mentro'n rhy bell.

"Gladys, plis. Mae 'nghalon i'n curo mor gyflym, dwi ofn iddi ffrwydro."

"Rydan ni wedi gorffen. Paid â rhedeg, Henriét, wnei di 'mond tynnu sylw. Cerdda efo fi, a smalio nad oes dim oll wedi digwydd."

"Fedra i ddim!" meddai ei ffrind, ac ymaith â hi fel milgi.

"Henriét! Aros amdana i!" gwaeddodd Gladys, a dechreuodd hithau redeg. Rhedodd y ddwy nerth esgyrn eu traed, ac yn ffodus, roedd giât y cefn yn dal ar agor.

"Gad inni aros yn fan hyn inni gael ein gwynt atom," meddai Gladys. "Tydw i 'rioed wedi rhedeg mor sydyn!"

"Mi fyddai Miss Davies yn falch ohonot ti!" meddai Henriét, yn gwenu.

Chwarddodd y ddwy a chofleidio ei gilydd. Edrychodd Gladys ar Henriét.

"Rydan ni wedi gwneud rhywbeth!"

"Do, a dwi'n teimlo lot gwell – wyt ti?"

"Dwi eisiau sgwennu at Miss Dunlop i ddeud cymaint mae hi wedi ein hysbrydoli," meddai Gladys.

"Mae hwnna'n syniad da," cytunodd Henriét. "Wnei di fynd â'r pot 'ma 'nôl?"

"Well i mi beidio ... cuddia fo yn dy dŷ di, a'i lanhau, Detectif Henriét," meddai Gladys. "Gofyn i dy fam gawn ni ddod efo hi i'r cyfarfodydd merched. Ti'n meddwl y cawn ni?"

"Fasa hi'n falch ryfeddol," atebodd Henriét. "Mi af rŵan, cyn iddi ddechrau poeni."

"Mae ganddi achos poeni efo merch fel ti," meddai Gladys efo winc.

Aeth Henriét adre'r noson honno efo calon dipyn ysgafnach.

Pennod 5

Mi hoffwn i fod yn ôl yn yr amser yna – noson y brotest gynta. Dwi'n dal i gofio'r cynnwrf – a'r syndod – fod Gladys wedi mentro allan y noson honno a gwneud beth wnaeth hi. Faswn i ddim wedi mentro allan; yn fy marn i roedden ni'n rhy ifanc. Dyna sut mae pethau'n aros yr un fath – mae gan bawb ei esgus – rhy ifanc, rhy hen, rhy gall, rhy wirion, rhy rhywbeth bob tro. Ond roedd gwylltineb Gladys mor eirias, roedd yn rhaid iddi gael gwneud rhywbeth, ac mi wnaeth. Mi fentrodd. Ac unwaith roedd wedi gwneud, doedd dim troi'n ôl. Roedd hi fel tasa hi wedi canfod yr allwedd i agor y drws, roedd hi wedi dymchwel y mur o ofn oedd yn ein cadw rhag gwneud dim, roedd hi wedi rhedeg allan i'r glaw a dawnsio ...

Doedd mam Henriét ddim yn frwd iawn iddyn nhw ddod i'r cyfarfodydd. Braidd yn ifanc oedd y ddwy yn ei barn hi, a bydden nhw'n diflasu'n fuan. Troi at Miss Davies wnaeth y ddwy yn y diwedd, gan gyfaddef eu bod ar dân eisiau gwneud rhywbeth dros achos y merched (ond heb sôn gair am y poster). Hi awgrymodd eu bod yn dod draw i'w lojings hi yr wythnos honno i'w helpu i wnïo.

"Nid gwnïo oedd gennym dan sylw," meddai Henriét yn siomedig.

"Wyddoch chi ddim be dwi'n ei wnïo eto," atebodd Miss Davies efo winc.

Tu allan i 5 Stryd Segontiwm, safodd Henriét a Gladys yn ddigon nerfus. Roedd mynd i weld athrawon yn eu cartrefi'n rhywbeth cwbl newydd. A dweud y gwir, doedd yr un o'r ddwy wedi meddwl fod gan athrawon fawr o fywyd tu allan i'r ysgol. Roedden nhw yn yr ysgol cyn i'r plant gyrraedd, ac roedden nhw'n aros yno wrth i'r plant adael.

"Ers talwm, ro'n i'n arfer meddwl fod yr athrawon yn cysgu yn yr ysgol!" meddai Gladys efo gwên.

Er mai rhentu roedd Miss Davies yn stafell uchaf y tŷ, roedd ganddi ddwy stafell, ac yn y stafell fyw roedd ganddi beiriant gwnïo ar y bwrdd a llathenni o ddefnydd.

"Diolch am ddod," meddai Miss Davies a dangos mai baner oedd ganddi ar y gweill, baner biws, gwyn a gwyrdd, ac roedd wrthi'n gosod llythrennau arni.

"Mi wna i baned i chi gynta, ac wedyn gewch chi fy helpu i dorri'r llythrennau."

"Dwi'n lecio eich llety, Miss Davies," meddai Gladys gan edrych o'i chwmpas. Gwyliodd y ddwy eu hathrawes yn rhoi tecell ar y tân agored, ac yn estyn cwpanau a soseri.

"Y peth sy ar goll ydi cath," meddai Miss Davies. "Dydi o ddim yn gartre heb gath i'w mwytho, ond fel arall, mae gen i bopeth dwi ei eisiau. Gymrwch chi fisgedan hefyd?" Mewn dim, roedd y bwrdd bach wedi ei osod, a siwgr mewn bowlen wydr fach ddel a jwg yr un patrwm.

"Y geiriau dwi eu hangen ar y faner ydi 'Tegwch i Ferched'," meddai Miss Davies, "ac mae gen i lythrennau mewn carbord i'ch helpu i wneud y siâp. Y peth gorau yw gwneud yr amlinell efo sialc – mi ddaw honno i ffwrdd yn ddigon rhwydd, ac yna defnyddiwch siswrn siarp i'w torri allan ... mi wnïa i'r rhain efo llaw, dwi'n credu ..."

Wedi gorffen eu paned, trodd y tair ati, a soniodd y ddwy ffrind sut roedden nhw'n awyddus i wneud rhywbeth i helpu Mrs Dunlop druan. Soniodd Henriét fod ei mam yn mynychu'r cyfarfodydd, ac roedd Miss Davies wedi ei chyfarfod.

"Mae cyfarfod awyr agored i'w gynnal yng Nghaernarfon yn fuan."

"Gawn ni ddod?"

"Wrth gwrs y cewch chi – os gorffennwch y faner. Mi fyddai'n gyfle da i ddod i nabod merched eraill yn y mudiad."

"Dwi ddim yn deall pam nad ydi pob merch yn rhan o'r mudiad," meddai Gladys. "Tasa pawb yn gwneud eu rhan, fydden ni fawr o dro yn cael pleidlais."

"Dwi ddim mor siŵr," atebodd ei hathrawes. "Dynion sydd yn y Senedd, a nhw sy'n pasio'r deddfau ..."

"Ond pam na fyddai dynion eisiau rhoi'r hawl i ferched bleidleisio?" holodd Henriét. "Dydi o'n gwneud dim synnwyr ..."

"Ydi mae o, os wyt ti'n edrych ar y byd drwy lygaid rhai gwleidyddion. Mae gen ti ddwy blaid – plaid y bobl fawr, sef y Torïaid, a phlaid y Rhyddfrydwyr – plaid Lloyd George, sydd dros y bobl gyffredin."

"Rhyddfrydwyr ydan ni," mynnodd Henriét.

"Mae Lloyd George yn cefnogi hawliau merched," meddai Miss Davies, "ond mae ganddo broblem. Tasan nhw'n rhoi hawl i ferched dros 30 oed sydd yn weddol gefnog i bleidleisio, mwy na thebyg mai pleidleisio i'r Torïaid fydden nhw ... O wneud hynny, beryg byddai'r Rhyddfrydwyr yn colli eu grym yn y Senedd. Felly mae'n well ganddyn nhw wneud i ferched ddioddef," eglurodd, "na cholli grym yn y Senedd."

Prin y gallai Henriét goelio'r ffaith. Roedd Gladys yn dawelach, ond roedd yn gwrando ar bob gair, ac yn eu storio yn ei meddwl ifanc.

"Beth sy'n mynd drwy dy feddwl di, Gladys?" holodd Miss Davies.

"Dwi ddim wedi meddwl fawr am y Senedd o'r blaen," cyfaddefodd Gladys. "Dwi 'mond wedi meddwl am y lle fel clwb i ddynion iddyn nhw siarad ymysg ei gilydd."

"A dwyt ti ddim yn bell iawn o dy le!" gwenodd Miss Davies.

Roedd yn syndod mor fuan roedd y ddwy wedi torri'r llythrennau ac roedd yn hwyl eu gosod allan ar y defnydd, a chael yr un faint o ofod rhwng y llythrennau.

"Dwi'n lecio'r dewis o liwiau," meddai Gladys.

"Lliwiau'r Syffrajéts ydyn nhw – piws am urddas, gwyn am burdeb, gwyrdd am obaith," eglurodd Miss Davies, "a chofia mai lliwiau'r WSPU ydi'r rhain."

"Sef y ... Women's ...?" Roedd Gladys ofn dangos ei diffyg gwybodaeth.

"Y Women's Social and Political Union."

"Fydd rhaid i mi ddysgu hynny – a be 'di'r lleill?"

"Yr NUWSS, ond ti ddim eisiau gwbod am rheini – chwarae plant maen nhw."

"Dwi dal eisiau gwbod amdanyn nhw," meddai Henriét. "Be ydi eu henw'n llawn?"

"Y National Union of Women's Suffrage Societies."

"Wn i ddim be sydd eisiau iddyn nhw fod ar wahân o gwbl," meddai Gladys.

"Mi ddowch i ddeall," meddai Miss Davies, gan godi ei llygaid. Edrychodd o'i chwmpas a dechrau clirio.

"Mi rown ni'r gorau iddi rŵan, mi gewch ddod draw eto. Dwi wedi mwynhau eich cwmni. Paned arall cyn i chi fynd?"

Cytunodd y ddwy ffrind; roedden nhw wedi ymlacio yng nghlydwch llety Miss Davies.

"Mi garwn i le bach fy hun fel hyn," meddai Gladys yn llawn eiddigedd. "Dwi ddim yn cael llonydd i feddwl yn tŷ ni."

Gwyddai Miss Davies mor anodd oedd hi yng nghartref Gladys, a gwyddai am salwch ei chwaer fach.

"Sut mae Enid fach dyddia hyn?" holodd.

"Dal 'run fath."

Holodd beth roedd Henriét a Gladys eisiau bod wedi iddyn nhw adael yr ysgol, a bu'r tair yn trafod wedyn a fyddai Miss Davies yn athrawes drwy ei hoes.

"Mae gen i rywun annwyl iawn yn gariad i mi, ac mi fydden ni'n falch o briodi, ond dwi'n caru 'ngwaith hefyd. Petawn i'n priodi, byddai'n rhaid i mi roi'r gorau i fy swydd. Dwi'n gobeithio y bydd y ddeddf honno wedi newid pan fyddwch chi'n wragedd ifanc."

Doedd Henriét a Gladys ddim yn gyfarwydd efo rhywun yn siarad mor agored, a wydden nhw ddim yn iawn sut i ymateb.

"Tasach chi'n gofyn fy nghyngor o gwbl," ychwanegodd Miss Davies, "byddwch yn uchelgeisiol, da chi. Mae yna ddigon o rwystrau yn ffordd merched ifanc, ond mi gawn ni wared ohonyn nhw, fesul un."

Roedd wedi bod yn noson wahanol, a diolchodd Henriét a Gladys iddi'n wresog. Y peth mwya roedd Miss Davies wedi ei wneud oedd eu trin nhw fel oedolion – roedd hynny fel chwa o awyr iach.

Cyn gwahanu, trodd Gladys at Henriét.

"Noson braf, doedd? Noson wahanol."

"Oedd, a mi ddaru ni ddysgu lot."

"Dal ddim yn deall be ydi'r gwahaniaeth rhwng y ddau fudiad – yr WSPU mae Miss Davies yn ei gefnogi 'te?"

"Rheini ydi'r rebels go iawn, yn ôl be dwi'n ei ddeall," atebodd Henriét. "Dipyn bach yn barchus ydi'r syffrajists, yr NUWS neu beth bynnag oeddan nhw."

"Syffrajists a Syffrajéts felly?"

"Ia – swnio'n ddigon tebyg, ond mae lot o wahaniaeth. Neith y Syffrajists ddim torri'r gyfraith ..."

"Syffrajéts ydan ni, felly?" meddai Gladys efo winc.

"Dwy Syffrajét beryg!" atebodd ei ffrind.

Pennod 6

Roedd baneri'n cyhwfan yn yr awyr, a'r Maes dan ei sang. Lle bynnag yr edrychai Henriét a Gladys roedd prysurdeb mawr, gyda merched yn trefnu, yn cario, ac yn rhannu taflenni fel haid o wenyn. Gafaelodd Henriét ym mraich Gladys.

"Oeddet ti'n disgwyl rhywbeth fel hyn?" gofynnodd.

Roedd gwên lydan ar wyneb ei ffrind.

"Wn i'm, ond dwi eisiau bod yn rhan ohono ...Tyrd, gad inni ddod â'n baner allan."

Yn yr haul, edrychai'r faner yn hardd a gobeithiol.

"Os safwn ni yma, gawn ni well golygfa," meddai Gladys.

Ar y Maes, roedd trol wedi ei gosod fel llwyfan dros dro, a baner fawr ar y blaen: 'Votes for Women'. Yna, daeth band o ferched yn chwarae offerynnau ac yn arwain y siaradwyr ar y llwyfan. Nesaodd y dorf i gael clywed, ac roedd hyd yn oed y gwylanod yn dawel ac yn syllu ar yr olygfa.

"Ferched!" meddai'r siaradwraig. "Rydych chi'n dorf hardd, a dwi'n falch o fod yma i ledaenu'r neges. Gawn ni ddechrau efo anthem y merched?"

Gyda'i gilydd, canodd y merched i gyfeiliant y band, a phawb fel petaen nhw'n gwybod y geiriau ar wahân i Henriét a Gladys:

"Shout, shout, up with your song!
Cry with the wind for the dawn is breaking.
March, march, swing you along,
Wide blows our banner and hope is waking.

Song with its story, dreams with their glory,
Lo! They call and glad is their word.
Forward! Hark how it swells
Thunder of freedom, the voice of the Lord!"

Rhyfedd yw'r effaith gaiff cân ar dorf, meddyliodd Henriét. Dim ond mewn torf yn y capel roedd hi wedi cael y profiad o'r blaen, ond roedd hwn yn ganu yn yr awyr agored. Canu llawn gobaith oedd hwn hefyd, am fyd a ddaw, ond rywsut roedd o'n fyd oedd yn nes – o fewn cyrraedd, bron â bod. Daeth bonllef o gymeradwyaeth, ac ailganwyd y pennill olaf. Dyna'r tro cynta iddyn nhw deimlo'n rhan o fwyafrif fel merched. Roedden nhw wedi byw mor hir ar gyrion pethau, roedd y ddwy wedi dod i dderbyn mai ymylol oedden nhw. Ac unwaith mae rhywun wedi dechrau meddwl felly, mae'n andros o anodd meddwl fel arall.

"Diolch i chi, diolch i chi, ferched! Diolch am fentro allan i'r haul! Ac heddiw mae'r haul yn gwenu, ac yn ddrych o'n gobaith mewnol ni – y caiff merched, ryw ddydd, yr hawl i bleidleisio!"

Cafodd gymeradwyaeth frwd.

"Ydw, dwi'n ei deimlo ym mêr fy esgyrn fod y dydd gogoneddus hwnnw ar fin gwawrio. Ond tan y daw, mae'n rhaid i ninnau ddal ati, dal ati i frwydro ac ymgyrchu. Mae mwy a mwy yn ymuno yn ein rhengoedd, ond mae angen rhagor eto fyth. Pwy sy'n fodlon dod efo ni ar y daith?"

Daeth bonllef arall o gymeradwyaeth a chanfu Henriét ei hun yn gweiddi, "Fi!"

"A finna!" bloeddiodd Gladys, a gwenu ar ei ffrind.

"Ydi, mae'n daith galed, front, mae'r cerrig dan ein traed yn finiog a gwawd eraill yn anodd i'w oddef ... Ond ... unwaith rydych chi'n teimlo cyfeillgarwch y gwragedd, unwaith cewch chi'r wefr a brofwn ni yma heddiw, wnewch chi ddim troi'n ôl. Beth bynnag yw'r baich rydych yn ei gario, mae yna chwaer wrth law i'ch helpu i'w ysgwyddo. Edrychwch o'ch cwmpas ... edrychwch pa mor fawr a chadarn ydan ni pan ddown ni at ein gilydd. Yn y dorf hon – y dorf fendigedig yma – y mae ein grym. Mae cyfiawnder o'n plaid! Fedran nhw ddim dal ati i wrthod.

Felly beth bynnag fedrwch chi ei wneud ... ymaelodi, hel enwau, gwerthu papur, dod i gyfarfodydd – gwnewch o. Y peth mwya gwerthfawr allwch chi ei wneud ydi siarad efo'ch teulu a'ch ffrindiau a'ch cyd-weithwyr. Soniwch wrthyn nhw am yr anghyfiawnder, ond yn bwysicach na dim, rhowch obaith mewn calonnau clwyfedig, a dywedwch wrthyn nhw fod dydd gwaredigaeth gerllaw!"

Doedd Henriét ddim wedi clywed araith debyg iddi. Trodd drachefn i weld y dorf.

Ar y cyrion, roedd haid o fechgyn ifanc yn chwerthin ar eu pennau, ond doedden nhw ddim yn cyfrif. Nhw oedd y lleiafrif ar y Maes y diwrnod hwnnw. Gwelodd y merched wyneb cyfarwydd yn dod tuag atyn nhw.

"Miss Davies!"

"Henriét! Gladys! Dwi mor falch o'ch gweld!" a chofleidiodd y ddwy. "Mi ddaru chi fentro, felly – ydych chi'n falch?"

"Faswn i ddim wedi colli'r araith honno am y byd," meddai Gladys.

"Muriel Matters yw ei henw – dynes a hanner," meddai Miss Davies. "Actores ydi hi, felly mae ganddi ddawn naturiol."

"Mae hynny'n amlwg."

"Glywsoch chi beth wnaeth hi mis Chwefror? Hedfan mewn balŵn uwchben Llundain efo arwydd 'Votes for Women' anferth."

Edrychodd Gladys a Henriét ar y wraig ar y llwyfan mewn rhyfeddod.

"Roedd hi'n lluchio taflenni o'r falŵn tra roedd y Brenin yn agor y Senedd."

"Faswn i wrth fy modd yn gwneud hynny," meddai Gladys efo gwên.

"Ydych chi'n lecio'r faner, Miss Davies?" holodd Henriét.

"Mae'n wych. Ac mi ddaw'n ddefnyddiol iawn yn ystod y misoedd nesa ..."

Edrychodd ar y llwyfan a gweld bod gwraig arall yn dod ymlaen.

"Gwrandwch ar hon," meddai wrth Henriét a Gladys. "Mae hon ymysg y siaradwyr gorau."

Gwraig ganol oed ydoedd, ei gwallt wedi britho, ac urddas yn y ffordd y safai. Parodd i'r dorf dawelu dim ond drwy edrych arni, ac roedd ei geiriau'n glir a phwerus.

"Heb fod ymhell o'r fan hon, yng nghapel Engedi rhyw

hanner canrif yn ôl, daeth criw o bobl benderfynol at ei gilydd. Roedden nhw eisiau creu byd gwell, a nhw drefnodd fod y *Mimosa* yn hwylio un bore o'r wlad hon i Batagonia, i greu'r Wladfa. Gwireddwyd eu breuddwyd, ac mae'r Wladfa yn ffaith heddiw.

"Eu breuddwyd hwy oedd creu cymdeithas decach lle na fyddai anghyfiawnder, lle na fyddai meistr yn trin ei was fel caethwas, na dynion yn gormesu merched. Pan sgwennwyd eu cyfansoddiad ym 1865, datganwyd yn gwbl glir – mewn Cymraeg a Sbaeneg – fod gan bob un dros ddeunaw oed, yn ddynion ac yn ferched, hawl i'r bleidlais, a honno'n un gyfrinachol. Gallwn ymhyfrydu felly mai Cymry oedd y rhai cynta yn y byd i roi'r bleidlais i ferched. Pe bawn i'n byw yn y Wladfa heddiw, gyfeillion, mi fyddwn i'n cael pleidlais. Ond am fy mod yn byw ym Mhrydain, does gen i'r un. Mae'r peth yn warth!"

Erbyn hyn, roedd y llanciau oedd ar gyrion y dorf wedi symud yn nes at y siaradwyr, ac roedd Henriét yn cadw llygaid arnyn nhw. Yr olaf i siarad oedd gwraig o Lerpwl.

"Women of Caernarfon," meddai, "I would like to bring you greetings from sisters in Liverpool ..."

"Dos adra!" gwaeddodd rhywun.

"All over Britain ..."

"Pwy wyt ti a'th siort i'n hannerch ni?" gwaeddodd llais arall, ac roedd y llanciau'n bloeddio ac yn hisian ar y wraig. Sylwodd Henriét a Gladys ar ddwsin o ddynion penderfynol yr olwg yn cerdded at y llwyfan. Symudodd y dorf i wneud lle iddyn nhw, ac aeth y dynion ar y llwyfan. Gwthiodd y rhai mwya y gwragedd o'r ffordd, ac mewn dim roedden nhw wedi troi'r drol ar ei hochr. Ymunodd y llanciau yn yr hwyl – a rhai merched – ac mewn dim, roedd y baneri wedi eu rhwygo, a'r sioe wedi dod i ben.

"Tyrd," meddai Gladys, "mi stopiwn ni nhw."

Rhoddodd Miss Davies ei llaw ar ei braich.

"Peidiwch. Wnawn nhw 'mond troi arnoch chi. Mae petha fel hyn yn digwydd drwy'r amser. Bechod iddo ddigwydd yn eich cyfarfod cynta. Nid mewn bôn braich mae ein cryfder. Ond gadwch i hyn fod yn wers i chi, a'ch gwneud yn fwy penderfynol i gario 'mlaen."

Roedd gwaed Henriét a Gladys yn berwi mewn cynddaredd.

Pennod 7

"Doedd o ddim yn lle saff i ti fod, Henriét. Gallai unrhyw beth fod wedi digwydd i ti!"

"A pham ddyliwn i fod yn saff os nad ydi merched eraill ddim?"

"Am mai hogan bedair ar ddeg wyt ti, a fi sy'n gwbod beth sydd orau i ti!" atebodd ei mam. Ers clywed am y modd y cafodd y merched eu trin ar y Maes, roedd Ann Hughes wedi poeni'n ddychrynllyd. Gafaelodd yn y fasged ddillad a mynd â nhw i'r ardd. Dilynodd Henriét hi.

"Mi wna i eich helpu i'w rhoi ar y lein, Mam."

Mewn tawelwch y bu'r ddwy yn gosod y dillad am dipyn. Roedd yna awel braf i'w theimlo, a doedd neb yn gallu bod yn flin am hir yng ngardd Hafryn.

"Poeni amdanat ti ydw i," meddai ei mam ymhen dipyn. "Oedd rhaid mynd yno?"

"Roedden ni mor falch o'n baner, ac yn ysu am gyfle i'w defnyddio, Mam. Tase'r dynion ddim wedi troi'r drol, byddai wedi bod yn gwbl heddychlon." Ceisiodd Henriét ddidoli'r sanau, a chanfod y parau cywir.

"Dwi'n gwbod, ond mi rwyt ti a Gladys wedi gwirioni eich pennau braidd, yn enwedig ers i Miss Davies ddod yn ffrindiau efo chi ... Rho help i mi efo'r gynfas 'ma."

Plygodd y ddwy y gynfas wely a'i phegio ar y lein.

"Ro'n i'n meddwl y byddech yn falch ohonon ni."

"Mi rydw i, wrth gwrs. Ond rydych chi eisiau i betha ddigwydd yn syth, a dydi hi ddim mor syml â hynny."

"Soniodd Miss Davies am y gwahaniaeth rhwng y pleidiau, a doedd neb wedi trafferthu egluro inni o'r blaen. Roedd hi'n deud mai pleidleisio i'r Toriaid fyddai merched, petaen nhw'n cael y bleidlais. Pam hynny?"

"Y cyfoethog sydd wastad yn cael y flaenoriaeth, felly os bydd unrhyw welliant yn y ddeddf, merched cefnog gaiff y bleidlais, a Thoris fyddan nhw." Edrychodd ar y dillad yn cyhwfan yn y gwynt. Roedd Ann Hughes wastad yn teimlo'n fodlon wrth weld llond lein o ddillad wedi eu golchi.

"Ond pam na wnawn nhw roi'r bleidlais i bawb, wedyn fyddai 'na ddim trafferth!"

"Wnawn nhw ddim," meddai ei mam. "Ond dyna'r frwydr." Gafaelodd Henriét yn y fasged begiau a dilyn ei mam i'r tŷ.

"Bellach, mae gen ti drydedd blaid – y blaid Lafur, sydd wedi ei sefydlu'n benodol ar gyfer pobl gyffredin, y gweithwyr – wyddet ti hynny?"

"Na wyddwn."

"Ar hyn o bryd, 29 o aelodau seneddol sydd ganddyn nhw, ond efo'r Rhyddfrydwyr maen nhw'n gallu cael mwyafrif yn y Senedd. Byddai'n wych pasio bob math o ddeddfau, ond rhyw gêm gywrain o gadw'r ddysgl yn wastad ydi hi. A phob pum mlynedd, maen nhw'n cael etholiad cyffredinol, ac mae'r cyfan yn cael ei newid eto."

Trodd Henriét ac edrych dros ei hysgwydd ar y lein ddillad. Roedd pob dilledyn efo'r llewys ar i fyny, gan edrych fel pe baen nhw'n codi ei llaw arni. Dyna oedd ei angen, pawb efo'i gilydd o blaid cyfiawnder, ac mi allen nhw symud mynyddoedd ...

Yn y gegin, rhoddodd Ann Hughes y tecell ar y tân.

"Dwi'n meddwl y llwyddwn i gael pleidlais i ferched yn o fuan," meddai Henriét, a'i llygaid yn sgleinio. "Mae'n rhaid i betha newid."

Gosododd y ddwy gwpan a soser ar y bwrdd.

"Maen nhw'n gofyn ers tua deugain mlynedd, a mwy," atebodd ei mam. "Bob yn hyn a hyn, mae mesur yn dod o flaen y Senedd, ond mae o'n methu. A dyna pam sefydlwyd yr NUWSS – i ddod â merched at ei gilydd, a threfnu ymgyrch benodol i newid meddyliau pobl, nes y byddai'r Senedd yn gwrando."

Eisteddodd Henriét wrth y bwrdd, a tholltodd ei mam y te.

"Ond nid rheiny rydach chi'n ei gefnogi, naci?"

"Naci. Mi ddaeth hi'n amlwg yn fuan iawn nad oedd yr NUWSS yn mynd i gael y maen i'r wal, a mi gafodd mudiad arall, mwy milwriaethus ei gychwyn – roedd y merched hyn wedi cael llond bol ar yr holl aros, a mi benderfynon nhw fod yr amser wedi dod i dorri'r gyfraith." Cododd ei mam a mynd i nôl dysgl. "Symud y tebot, mae'n well i mi gychwyn ar y sgons ..."

"Ac eto, dydach chi ddim am i Gladys a fi fynd i drwbwl ..."

Edrychodd Ann Hughes ar ei merch.

"Dwyt ti fawr mwy na phlentyn, Henriét. Mi ddaw eich cyfle chi i wneud eich rhan, ond aros rhyw bum mlynedd tan hynny."

"Falle y bydd y frwydr wedi cael ei hennill, a fyddwn ni wedi colli'r hwyl i gyd."

Ysgydwodd ei mam ei phen. Doedd gan yr hogan ddim syniad.

"Be ydi swydd Lloyd George yn y Senedd, Mam?"

"Fo ydi'r Canghellor. Mae o wedi gwneud gwaith da iawn. Fo gafodd Gyllideb y Bobl drwodd – y mesur sydd newydd gael ei drafod."

"Dwi wedi clywed Tada'n sôn am hwnnw ... Maen nhw'n deud y gwnaiff newid bywydau pobl."

"Mi wnaiff, mi gadwith bobl o'r wyrcws, mi fydd yn rhoi pensiwn i bobl am tro cynta ..."

"A Lloyd George wnaeth ei lunio fo?"

"Ia, Cymro Cymraeg o Lanystumdwy. Pwy fasa'n meddwl fasa rhywun o Gymru'n dringo mor uchel? Mae sôn y gall ddod yn Brif Weinidog."

Wedi troi'r gymysgedd, rhoddodd ei mam y belen ar y bwrdd a dechrau ei rhowlio.

"Sut mae teulu Gladys y dyddia hyn?"

"Ddim yn dda."

"Falle galla i gadw peth o'r sgons iddyn nhw. Ei di â nhw draw wedyn?"

Tynnodd Henriét ei ffedog. "Mi wna i – diolch am gael y mynadd i drafod hyn i gyd efo mi."

"Sut arall wyt ti'n mynd i ddysgu os nad ydi rywun yn deud wrthot ti, hogan?"

Gwyliodd Henriét yn mynd allan. Sylwodd gymaint roedd wedi tyfu'n ddiweddar. Doedd hi 'mond fel ddoe ers pan oedd hi'n hogan fach.

Pennod 8

'Fôts i Ferched – ceiniog am y gwir!" meddai Gladys, ond doedd neb yn cymryd sylw ohoni.

Cymaint oedd brwdfrydedd Gladys dros yr achos newydd fel y canfu'r ddwy eu hunain o flaen siop y cemist ar y Maes yn gwerthu'r cylchgrawn *Votes for Women*. Er bod mam Henriét yn teimlo ei bod rhy ifanc i fynd i gyfarfod, roedd Gladys wedi'r holi swyddogion beth allai dwy ferch ifanc frwd ei wneud, a chafodd y merched y gwaith o werthu'r papur.

"Tyrd 'laen, Henriét, rhaid i chditha weiddi hefyd, neu chymrith neb sylw ohonom."

"Fôts i Ferch ..." meddai Henriét, a gwrido. "Fedra i mo'i wneud o, Gladys, dwi'n teimlo'n goman. Dwi'm yn lecio tynnu sylw ata i fy hun."

"Dw inna ddim chwaith. Mae o lot anoddach na feddyliais i. Wnawn ni sefyll yma a dangos y papur a holi pobl fel maen nhw'n pasio."

Wedi chwarter awr o bobl yn mynd heibio dechreuodd Henriét amau fod ei mam yn iawn pan ddywedodd eu bod yn rhy ifanc i gymryd rhan. Ond y funud honno, daeth gwraig at Gladys a holi a gâi brynu cylchgrawn.

"Da iawn chi," meddai, a throdd Gladys at Henriét a rhoi winc.

Teimlai Henriét fod pawb yn edrych arni, a doedd hi ddim wedi bod mewn sefyllfa felly o'r blaen. Prysurdeb a deimlai yn y dref fel rheol; un o'r dorf oedd hi'n mynd o un siop i llall, a'i rhestr siopau'n cadw ei meddwl ar y dasg. Hwn oedd y tro cynta iddi sefyll ar y stryd a gwylio pobl yn mynd heibio. Gwragedd oedd y mwyafrif ohonyn nhw, rhai'n hen a musgrell, rhai efo plant mân, rhai'n mynd fesul dwy a thair, ac yn oedi i sgwrsio. Prinnach oedd y dynion, ac edrychai'r rhain yn bwysig, fel petaen nhw ar berwyl. Doedden nhw ddim yn aros i sgwrsio. Byd felly roedd Henriét wedi ei dderbyn erioed, ond y bore hwnnw, edrychai arno'n wahanol. Pam mai dynion oedd yn gwneud y gwaith pwysig, a merched yn glanhau neu'n gwneud neges neu'n gofalu am blant? Oedd raid i bethau fod felly? Pam na allai merched fod mewn swyddi pwysig a dynion yn gwneud neges, neu afael yn llaw plentyn? Gwenodd wrth feddwl am ddarlun mor ryfedd.

"Hawliau merched?" gofynnodd dyn a safai o'i blaen.

"Ia, ceiniog am y papur," meddai Henriét, yn wên i gyd.

"Dwi ddim yn cytuno efo chi," meddai'n sarrug.

Roedd clywed hyn yn gymaint o sioc i Henriét fel na wyddai beth i'w ddweud.

Trodd Gladys ato.

"Oes gennych chi bleidlais?" holodd Gladys.

"Fel penteulu, oes," meddai.

"Wel, falle basa eich gwraig yn hoffi deud ei deud."

"Dwi'n bwrw fy mhleidlais ar ran y teulu," atebodd, "ac mae 'ngwraig yn cytuno efo mi."

"Be am bobl sydd heb briodi?" gofynnodd Gladys.

"Ddylen nhw ddim cael pleidlais," meddai'r dyn.

"Pam ddim?"

"Am yr un rheswm â phlant – does ganddyn nhw ddim digon o wybodaeth am y pwnc."

"Beth?" holodd Gladys, yn hurt.

Gwelodd Henriét fod y sefyllfa'n debyg o ferwi drosodd.

"Rhydd i bawb ei farn," meddai wrth y dyn, "ond os newidiwch eich meddwl ..."

"Cadwch eich papur," meddai fo, ac aeth yn ei flaen.

Roedd Gladys yn berwi.

"Rhaid i ti beidio ffraeo efo pobl," meddai Henriét, "neu chawn ni ddim gwneud hyn eto."

"Ond doedd y dyn ddim yn gall, Henriét!"

"Dydan ninna ddim yn hanner call yn eu golwg nhw, chwaith. Gad iddyn nhw fod."

"Dwi wedi gwylltio rŵan."

Ac edrychodd Henriét ar ei ffrind yn ceisio rheoli ei theimladau. Hmm, falle nad oedd hyn am fod yn hawdd, meddyliodd Henriét.

Daeth dyn iau heibio, ac edrych i fyny ac i lawr ar y ddwy.

"Be ydi hwnna sydd gennych chi?"

"*Votes for Women* – ydach chi eisiau copi?" holodd Gladys.

"Ydach chi'n gwerthu lot?"

"Mae ambell un yn fodlon gwrando."

"Adra ddylai merched fel chi fod."

"Yn gwneud beth?"

"Tendian yr aelwyd, 'te?" meddai gan wenu.

"Dyna dwi'n ei wneud fel rheol, ond dwi wedi cael caniatâd i ddod allan bore 'ma," meddai Gladys yn siort.

"Peth ddel fel ti, wnaet ti wraig dda i rywun," meddai, gan

edrych i fyny ac i lawr arni eto, ac i ffwrdd ag o.

Wedi dwy awr, roedd Henriét yn reit falch o'r nifer roedd hi a Gladys wedi ei werthu. Falle nad oedd yn weithred fawr, ond roedd yn help. Efo bob copi werthwyd, roedd rhywun yn mynd i ddarllen ei gynnwys, a falle newid ei feddwl ar fater hawliau merched. Hyd yn oed i'r rhai nad oedd wedi prynu'r cylchgrawn, roedden nhw wedi sylwi fod dwy ferch yn y dref yn barod i gefnogi'r achos. Roedd cyhoeddusrwydd yn holl bwysig.

"Dyna ni, mae ein dwyawr ar ben," meddai Henriét. Edrychai ymlaen at gael eistedd a chael paned a thamaid i'w fwyta.

"Un arall!" mynnodd Gladys. "Edrych, mae hwn yn dod aton ni. Mae o'n edrych arnat ti – rho wên fach glên iddo."

Gwenodd Henriét, ond ni ddywedodd yr un gair.

"Hmm, be ydach chi'n ei werthu, ferched?" holodd y llanc, a golwg ddifrifol arno.

Llyncodd Henriét ei phoer. "Papur dros hawliau merched ydi o ..."

"Ydi dynion yn cael ei brynu?"

"O, ydi, ceiniog ydi'r pris!"

"Mi fedra i fforddio hynny, siawns!" meddai, efo gwên. Sylwodd Henriét ei fod wedi bod yn tynnu ei choes.

"Chwarae teg i chi am sefyll yma'n ei werthu," meddai'n glên. "Dydi o ddim yn waith hawdd. Dwi wedi ei wneud o fy hun."

"Gwerthu'r cylchgrawn yma?" gofynnodd Henriét, wedi synnu.

"Naci, naci. *The Clarion* ro'n i'n ei werthu. Ond mae'n waith gwerth chweil – peri i bobl feddwl. Ydych chi wedi cael ymateb da?" ac edrychodd ar Gladys.

"Ddim yn ddrwg o gwbl," meddai hithau'n galonnog, "ond mi fyddwn yn falch o gael gorffwys."

"Da bo chi, ferched," meddai, ac i ffwrdd ag o.

Gwenodd Gladys ar ei ffrind.

"Ti wedi cochi, Henriét. Ti fel tomato."

Doedd Gladys a Henriét ddim wedi disgwyl bod yn ganolbwynt y sylw pan aeth y ddwy i'r ysgol Sul y diwrnod canlynol.

"Dyma ni, y gwrachod!" meddai Morris Pritchard.

"Hei, hei," dwrdiodd Dei Tŷ Pen, "mae hynny'n mynd rhy bell ..."

"Gofyn iddyn nhw be oedden ni'n ei wneud ar y Maes ddoe!" meddai Now Glo.

"Does ganddon ni ddim cywilydd," mynnodd Henriét yn herfeiddiol.

"Synnu dy fod yn siarad efo ni, a chitha eisiau witsio bob dyn."

"Be haru ti?" holodd Gladys. "Be ydi dy broblem di?"

"Sgennon ni ddim help mai hogia ydan ni," meddai Now Glo. "Mae'r rhan fwya o'r merched yn lecio ni!"

Chwibanodd rhai o'r bechgyn. Daeth Mr Williams i'r golwg a dweud wrth pawb am fynd i'w dosbarthiadau.

"Be oeddech chi wedi ei wneud, da chi?" holodd Huw Gwyrfai, wedi i'r hogiau eraill ddiflannu.

"Gwerthu papur *Votes for Women*."

"Mae hynny'n egluro'r ffwdan," meddai Huw, "ond roedden nhw'n gas. Mae'n rhaid i chi beidio cymryd sylw ohonyn nhw."

Ond roedden nhw'n bendant wedi cynhyrfu'r dyfroedd rhyw fymryn.

Pennod 9

Gorwedd yn yr haul yn Weirglodd Isa roedd Henriét a Gladys ar ddiwrnod heulog o Ebrill. Cynhesai'r haul eu gwar ac roedd afon fechan gerllaw. O'u hamgylch roedd clychau'r gog yn drwch.

"Sbia, llyffant," meddai Gladys, a dyna lle roedd o – llyffant bach brown yn cuddio ymysg y clychau. Ceisiodd Gladys ei ddal yn ei dwylo, ond neidiodd y creadur gan beri i'r ddwy sgrechian a phiffian chwerthin.

"Ddaw hwnna ddim yn ôl ar frys," meddai Henriét, a gorwedd yn ôl ar y gwair, "Ew, mae hyn yn braf."

"Ron i'n mynd i ddeud mor ddistaw oedd hi, ond rhwng yr adar yn canu dros y lle a sŵn y dŵr ..."

"A ninna'n chwerthin," ychwanegodd Henriét. "Mae o'n lle swnllyd iawn."

"Dydi natur ddim yn llonydd chwaith, nac ydi?" oedd sylw Gladys. "Mae'r gwair 'ma'n fyw o greaduriaid bach, a dydi'r morgrug ddim yn stopio."

Closiodd Henriét ati ac edrych dros ei hysgwydd. Sylwodd ar yr haul yn tywynnu ar we pry cop. Roedd pob math o bryfetach yn dringo'r gweirydd, pob un yn ei fyd bach ei hun.

"Dwi mewn cariad efo bob dim ar ddiwrnod fel hyn," meddai.

Tynnodd Gladys ei sgidiau a'i sanau a mentro rhoi ei bodiau yn nŵr yr afon. Gwyliodd Henriét hi, yn dal ei sgert at ei chluniau mewn ymdrech i beidio gwlychu.

"Dwi'n mynd i dynnu hon," meddai Gladys, "neu dim ond cerydd gan Mam ga i ..."

Daeth i'r lan a datod ei botymau a'i staes.

"Edrych arna i – wedi fy lapio fel taswn i'n barsel. Pwy gynlluniodd ddillad isa mor hurt? Dwi am dynnu fy mlows hefyd, i gael teimlo'r haul ar fy nghroen ..."

"Gladys! Fedri di ddim bod yn dy ddillad isa! Be sy'n bod arnot ti?"

"Dydi o'm ots, welith neb mohonon ni," atebodd yn ddi-hid, a mynd yn ôl i drochi ei thraed.

Roedd wrth ei bodd yn bod yn rhydd o hualau ei dillad, ac yn mwynhau teimlo'r dŵr rhwng bodiau ei thraed, gan deimlo gwres yr haul ar ei chroen. Meddyliodd Henriét ei bod yn ddarlun tlws efo'i gwallt hir yn donnau dros ei hysgwyddau.

"Pam na fentri dithau i'r dŵr?" holodd ei ffrind. "Dydi o ddim yn oer."

Yn y diwedd, perswadiwyd Henriét i ddiosg ei dillad a mentro yn droednoeth i'r afon. Buon nhw'n dawel am dipyn, yn gwylio'r gwenyn yn hofran uwchben y dŵr.

"Dydi yntau ddim eisiau gwlychu chwaith," meddai Gladys efo gwên.

"Dacw lyffant arall!" sylwodd Henriét, ond roedd Gladys yn ei chwman yn symud cerrig yn yr afon. Mewn dim, roedd wedi eu gosod mewn rhes fel y gallai rhywun gamu arnynt. Wrth symud yr olaf, llithrodd a disgyn yn glewt i'r dŵr. Roedd yn chwerthin cymaint fel na allai ganfod y nerth i godi.

Chwerthin wnaeth Henriét hithau, a mynd draw i gynnig llaw iddi.

"Cod, yr hulpan wirion," meddai. "Edrych, ti'n wlyb domen dail – a dy wallt – mae o fel cynffonnau llygod mawr."

Cododd Gladys, gan gyrraedd y lan a thynnu ei dillad isaf.

"Does gen i ddim dewis, Henriét – dim ond gobeithio y sychan nhw'n sydyn, ddylian nhw ddim bod fawr o dro yn y gwres yma."

Mewn dim, eisteddai'n gwbl noeth wrth yr afon.

"Annwyd gei di."

"Taw, ti'n swnio fel Mam. Dydw i rioed wedi bod yn noeth tu allan. Fel hyn roedd Efa, mae'n siŵr, ac yn yr afon y basa hi'n 'molchi, 'te?"

Daeth Henriét i eistedd wrth ei hymyl.

"Dwi 'rioed wedi meddwl sut oedd Adda ac Efa yn 'molchi," meddai.

"Doedd ganddyn nhw ddim dillad, felly doedd dim rhaid iddyn nhw boeni am olchi rheini. Sgwn i pryd ddaru pobl ddechra potsian efo dillad?"

"Un peth braf i Efa, doedd dim rhaid iddi wisgo staes ... na sgidiau sodla."

"Na rhoi ei gwallt i fyny ..." meddai Gladys. "Wyddost ti, dwi wedi bod yn eiddigeddus wrth hogia 'rioed, yn cael tynnu eu crysau pan mae'n chwilboeth a neidio oddi oddi ar Bont Gam i'r afon. A be mae'r genod yn gorfod ei wneud? Chwysu chwartia yn eu sgertia hir yn gwylio'r hogia. Tydan ni'n betha gwirion?"

"Dyna fo – ti wedi cael rhyddid yr hogia pnawn 'ma."

"Bendigedig."

Ni fu'r dillad yn hir yn sychu, ond doedd gan Gladys ddim brys i wisgo. Gorweddodd yn y glaswellt yn mwynhau'r rhyddid newydd.

"Mae'n siŵr y byddai'n well inni feddwl am droi tua thre," meddai Henriét ymhen tipyn.

"Biti na allem wneud hyn yn amlach. Dwi'n teimlo ein bod wedi cael pnawn yn y nefoedd."

"Neu yng Ngardd Eden, o leia!" meddai Henriét efo gwên. Peth braf oedd cael ffrind.

Ni sylwodd yr un o'r ddwy ar y brigau'n clecian yn y gwrych nac ar sŵn pâr o esgidiau'n brasgamu ymaith.

Pennod 10

Fel rhyw ddrafft slei ddaw dan y drws, lledodd y stori fel tân gwyllt drwy'r dref, a Henriét a Gladys oedd y rhai olaf i glywed. Ni wyddai neb lle y dechreuodd, ond wrth i'r parablu gynyddu, trodd y fflam egwan yn dân gwerth chweil. Y peth cynta deimlodd Henriét oedd plant bach yn chwerthin ar ei phen wrth iddi fynd heibio, ond roedd Gladys wedi gweld pobl mewn oed yn edrych yn ddigon od arni wrth iddi gerdded i'r ysgol. Yn y diwedd, daeth y stori i glyw mam Henriét, a'r munud y daeth o'r ysgol, bu raid iddi gael gair efo'i merch.

"Mae'r stori'n dew drwy'r dre – dy fod di a Gladys wedi cael eich gweld yn drochi'n noeth yn Weirglodd Isa ... be sydd wedi digwydd?"

Bu bron i Henriét lewygu yn y fan a'r lle. Teimlodd yn boeth drosti a gwridodd yn ddwfn. Dychrynodd ei mam wrth weld ei hymateb.

"Paid â deud wrtha i fod sail i'r stori!" gwaeddodd.

Eisteddodd Henriét i lawr. Sut yn y byd roedd hi am ddod allan o hyn? Beth oedd orau – dweud y gwir ynteu gwadu? Pwy ar wyneb y ddaear oedd wedi ei gweld? Doedd Henriét ddim eisiau mentro drwy'r drws byth eto.

"Henriét, mae gen ti ddyletswydd i ddeud y gwir ... Ond

os dealla i fod rhyw gamymddwyn wedi digwydd, fydda i byth eto yn gallu dal fy mhen yn y dre."

"Mi fuon ni'n nofio – wel, rhoi ein traed yn y dŵr ..." eglurodd Henriét, yn teimlo ei hun yn mynd i gors ddofn. "A Gladys syrthiodd i mewn ... roedd hi wedi gwlychu'n domen, a thynnodd dipyn o'i dillad a'u rhoi i sychu, ac mae'n siŵr fod rhywun wedi gweld hynny, ac wedi cychwyn stori." Roedd hi'n siarad yn rhy gyflym, a phopeth yn dod allan driphlith draphlith, yn rwtsh llwyr.

"Mi dynnodd ei dillad?"

"Dwi'm yn cofio be ddigwyddodd!" meddai Henriét, bron â chrio. "Ro'n i ofn iddi gael oerfel tasa hi mewn dillad tamp, a mi dynnodd ei sgert, ac mi aethon ni adra reit fuan wedyn."

Edrychodd Ann Hughes ar ei merch a theimlo ei bod yn olygfa druenus. Roedd pethau'n amlwg wedi mynd rhy bell, ond roedden nhw wedi bod mor ffôl yn mentro i'r afon. Rŵan, roedden nhw'n ganol stori oedd yn anodd iawn i'w gwadu, a phawb wrth gwrs wedi ei llyncu, faint bynnag o wir oedd ynddi.

Cododd Henriét ei phen a gweld ei mam yn trio dygymod â'r newydd.

"Mae'n ddrwg gen i, Mam."

Cymryd anadl ddofn wnaeth Ann Hughes. Yn amlwg, doedd gan ei merch ddim syniad faint o drwbwl y byddai hyn yn esgor arno.

"Ddaru o ddim croesi eich meddwl y byddai rhywbeth fel hyn yn digwydd?" gofynnodd yn ddigalon.

"Fydde dim wedi digwydd, 'blaw fod Gladys wedi disgyn i'r dŵr a gwlychu, a taswn i wedi meddwl am eiliad fod beryg i rywun ein gweld ... ond wn i ddim be ydach chi'n ei ddeud – y byddai'n well tasa Gladys wedi cael annwyd difrifol na diosg amdani?"

Ysgydwodd ei mam ei phen.

"Henriét ... mae'n rhaid i ti ddeall, wrth i ti dyfu, does 'na ddim prinder o bobl sy'n awyddus i roi cyllell yn dy gefn. Natur ddynol ydi o, 'nenwedig i rai fel ni sydd yn amhoblogaidd am sefyll dros hawliau merched. Felly mae'n bwysicach nag arfer i beidio dwyn gwarth ar ein pennau. Fel gweli di – dim ond yr esgus lleia maen nhw ei eisiau i dynnu enw rhywun trwy'r llaid. A dy dro di a Gladys oedd hi tro hwn – fedra i wneud dim i'ch gwarchod."

Pan aeth Henriét i'r Band of Hope yr wythnos honno, doedd dim golwg o Gladys.

Bu'n rhaid iddi wynebu pryfocio rhai o'r bobl ifanc, ond roedden nhw'n ddidrugaredd. Now Glo a Morris Pritchard oedd ucha eu cloch. 'Hogan noeth' gafodd hi ei galw ganddyn nhw drwy'r gydol y cyfarfod. Yna cafodd neges gan Mary Twm yn dweud wrthi am alw heibio tŷ Gladys am fod ei ffrind am ei gweld ar frys.

Pennod 11

"Gladys!" meddai Henriét mewn dychryn wrth weld wyneb ei ffrind. Edrychai mor boenus, fel petai holl ofidiau'r byd ar ei hysgwyddau. "Lle roeddet ti heno? Mi ges i fy mhryfocio'n ddidrugaredd yn y Band of Hope."

Camodd Gladys allan ac amneidio ar ei ffrind i'w dilyn.

"Tyrd rownd i'r cefn, a gwna'n siŵr na welith neb di ..."

Sleifiodd Gladys i gefn y tŷ, a rhoi ochenaid ddofn wrth bwyso'n ôl yn erbyn y wal. Roedd Henriét yn bryderus amdani.

"Wyt ti'n sâl, Gladys?"

Ysgydwodd Gladys ei phen, ond gwrthodai edrych ar ei ffrind. Doedd Henriét erioed wedi ei gweld fel hyn. Yn y diwedd, suddodd ar ei chwrcwd a rhoi ei phen yn ei dwylo.

"Gladys ..."

"Diolch am ddod," meddai mewn llais tawel. Roedd hi fel dol glwt, a'i stwffin wedi dod ohoni. "Mae wedi bod yn uffern yma."

"Y stori amdanon ni'n dwy?"

Nodiodd Gladys ei phen, ac yna roedd fel petai cryndod yn dod drosti. Plygodd Henriét a rhoi ei braich drosti.

"Mae petha'n ddrwg, tydyn?" holodd Henriét. "Pwy welodd ni? Wyt ti'n gwbod?"

"Nac ydw, ond mi garwn i dynnu ei lygaid o'i ben, a'i dafod o'i geg, pwy bynnag ydi o."

Edrychodd Henriét ar ei ffrind, ac yna daeth syniad dychrynllyd iddi.

"Dydi dy dad erioed wedi troi arnat ti?" gofynnodd

"Nid arna i."

Wyddai Henriét ddim beth i'w ddweud.

"Ar Mam."

Yna agorodd y fflodiart a daeth y stori allan yn llif.

"Rhaid ei fod wedi clywed y stori yn dre, ac wedi myllio, ac i fan hyn daeth o'n syth. Mi driodd o roi swadan i mi, gan fy ngalw'n bob enw dan haul, ond mi ruthrodd Mam i f'arbed i rhagddo. Wedyn, roedd hi 'mond yn rhy hawdd iddo droi ei gynddaredd arni hi. Dydi o 'rioed wedi ymosod arni felly o'r blaen ... roedd hi ar y llawr yn erfyn am drugaredd, ac yna mi ddechreuodd ei chicio ..."

"Gladys ..." Roedd o'n amlwg yn ei brifo i roi'r profiad mewn geiriau.

"Fasa ci gwyllt ddim wedi cael cystal hwyl arni. Mi ddeudodd nad oedd hi ddim ffit i fagu plentyn a 'mod i wedi dwyn gwarth arno fo, ac mai ei bai hi oedd o, a'i bod yn waeth na baw isa'r domen. Yna mi stompiodd o i'r llofft a disgyn i gysgu ar y gwely. Mae golwg ddychrynllyd ar Mam."

"Fedr hyn ddim cario 'mlaen."

"Dyna pam dwi ofn gadael y tŷ. Dwi'n teimlo bod yn rhaid i mi gadw llygad ar Mam, ac eto pa iws ydw i? Dwi'n gallu gwneud dim pan mae o'n 'mosod arni. Ond roedd o lot gwaeth tro hyn – ei gwylio hi'n cael y fath grasfa, a hynny ar fy nghownt i ..."

"Ond tasat ti heb wneud dim, mi fyddai'n canfod esgus arall."

"Digon gwir. Tydi o ddim hanner call. Mae eisiau rywun i'w gau o yn rhywle, rhag iddo ei niweidio eto."

Wrth syllu ar wyneb ei ffrind, gwelodd Henriét rywbeth prin – gwelodd ddagrau'n llithro'n gyndyn i lawr boch Gladys. Parodd hyn fwy o ddychryn i Henriét na dim, ac ni wyddai sut i ymateb. Yn reddfol, estynnodd ei braich a'i chofleidio, ond ni allai ddweud yr un gair.

Torrodd argae cadarn Gladys, ac wylodd yn hidl. Er ei bod yn ceisio siarad, doedd y geiriau ddim yn dod.

"Mae ... mae o'n ofnadwy ..." oedd yr unig beth lwyddodd i'w ddweud.

Disgwyl i'r storm o ofid dawelu oedd yr unig beth fedrai Henriét ei wneud.

Chwythodd Gladys ei thrwyn, ac ochneidio.

"Fedra i ddim egluro mor ofnadwy oedd cael Dad yn ymosod arni hi. Ddim ei fod wedi peri poen i mi, ond y teimlad o ... deimlo'n ddim. Y gwarth ydi o ... y cywilydd. Mae o wedi gwneud i mi deimlo yn ddiwerth ... ydw i'n gwneud synnwyr?"

"Dwi'n dallt ..." meddai Henriét, oedd yn gelwydd noeth. Doedd ganddi mo'r syniad lleiaf sut oedd ei ffrind yn teimlo. Ni allai freuddwydio am ei thad ei hun yn curo ei mam. Ni fedrai ddechrau amgyffred poen Gladys.

Ar hynny, clywodd y ddwy sŵn drws yn agor. Neidiodd Gladys.

"Mae o yn ei ôl ... g'leua hi o'ma, Henriét."

"Ti eisiau dod i aros i'n tŷ ni heno? Fedri di ddim byw dan straen fel hyn."

"Dwi'n teimlo bod rhaid i mi fod yno, er mwyn Mam. Ond dwi allan o 'nyfnder yn llwyr. Mae o wedi fy llethu, ydi – does dim cryfder ar ôl yno' i. Mae o wedi 'nhrechu i'r tro hwn."

Yn y golau gwan, gwelodd Henriét ddyfnder poen Gladys ar ei hwyneb. Roedd o'n wyneb wedi cracio'n llwyr, wedi ei falu'n dipiau mân gan ofid.

"Paid â deud hynny, Gladys. Fedra i ddim diodda dy glywed di'n deud hynna. Mae yna ben draw i'r cyfan. Mi ffeindiwn ni ateb. Paid â gadael iddo dorri dy ysbryd di."

"Mae o wedi gwneud hynny tro 'ma," meddai. "Dos, er mwyn Tad."

A llithrodd Henriét i'r cysgodion gan adael ei ffrind mewn lle llawer tywyllach.

Pennod 12

Bu'r wythnos ganlynol yn un dywyll iawn i Gladys, ac mae'n bosib y byddai wedi suddo i ddyfnderoedd is oni bai am Henriét. Mynnai Henriét guro ar y drws bob dydd, a galwai ei mam yn rheolaidd i weld mam Gladys. Os câi unrhyw wraig ei churo, y peth pwysig oedd cadw'r drws ar agor, ymweld yn gyson, a gadael i'r gŵr wybod bod merched yn gofalu am ei gilydd. Bu Miss Davies yn help garw yn gwadd Gladys a Henriét draw, rhoi croeso iddyn nhw a chael sgyrsiau dirifedi. Yn raddol, sylwodd Henriét fod yr hen sbarc yn ailgynnau yn ei ffrind.

"Ydych chi'n meddwl y gallwch roi helynt y Weirglodd tu cefn i chi rŵan, genod?" holodd Miss Davies un dydd.

"Mae o wedi dangos pwy ydi'n ffrindiau go iawn," meddai Henriét, wrth fynd drwy silff lyfrau Miss Davies. Byddai'n dda iawn am fenthyg ei llyfrau i'r merched.

"Dim ots be wnawn ni rŵan, bydd pobl yn edrych i lawr eu trwynau arnon ni. Ond dwi ddim yn troi blewyn bellach pan mae rhywun yn gweiddi 'Genod Noeth' arnon ni. Dydi 'mots gen i," meddai Gladys.

Trodd Henriét ati – "O ddifri?"

"Ia. Mewn ffordd, mae o wedi ein gwneud yn fwy rhydd. Unrhyw adeg dwi eisiau nofio'n noeth yn yr afon rŵan, mi af – a naw wfft iddyn nhw!"

Gwenodd Miss Davies wrth weld llygaid Gladys yn tanio. Bu mor bryderus yn ei chylch.

"Mae bechgyn yn cael nofio'n noeth mewn afon, a does neb yn troi blewyn," meddai Miss Davies. "Gladys, mae'n dda gen i fod yr hen sbarc yn dod yn ôl. Fy ofn mwya dros y dyddiau dwytha oedd y byddai ymddygiad eich tad yn peri i chi fynd i'ch cragen. Mae cymaint o ferched yn ymateb felly, ac yn mynd i guddio."

Edrychodd Gladys arni.

"Fel arall mae o wedi effeithio arna i. Dwi'n benderfynol o wneud mwy i achub cam rhai fel Mam a'i thebyg. Falla na fedr hi ddod allan ar y stryd, ond mi fedra i frwydro drosti."

"Mi fydda i efo ti bob cam," meddai Henriét.

"O'r blaen, ro'n i'n teimlo ar gyrion petha – am ein bod mor ifanc, debyg, ond dwi wedi gorfod tyfu'n sydyn yn ddiweddar."

"Ac mewn mis, mi fydda inna'n bymtheg, Gladys, a'r un oed â ti!"

Dechreuodd Miss Davies dacluso'r bwrdd a chadw'r llestri.

"Tybed garech chi ddod efo mi i bicnic y Gymdeithas Ddadlau?" gofynnodd.

"Fasan ni ddim yn nabod neb yno," oedd ymateb cynta Gladys, ond mynnai Miss Davies mai achlysur felly fyddai'r cyfle i ddod i gwrdd â ffrindiau newydd.

"Dewch yn eich blaen, mi fydd yn hwyl!" meddai. "Be sy'n well na bwyta yn yr awyr agored?"

Mwya'n y byd y meddyliai'r merched amdano, mwya cynhyrfus oedd y syniad. Un o'r pethau oedd yn apelio atyn nhw oedd cael taith mewn siarabáng.

Ar y diwrnod, doedd dim angen iddyn nhw boeni. Roedd pawb yn cymysgu'n dda, ac yn wahanol i nifer o gymdeithasau, roedd croeso i ddynion a merched gymysgu'n rhydd. Daeth un bachgen atynt i siarad.

"Rydych chi'n wyneb newydd yn y cylch yma," meddai gŵr ifanc. "Beth yw eich enw?"

"Henriét."

"Aneurin ydw i, dwi'n gweithio yn y dre. Ffrind Maude Davies ydych chi?"

"Hi yw ein athrawes, dwi'n dal yn yr ysgol ..."

"Dwi wedi eich gweld o'r blaen."

"Naddo, dwi'm yn credu."

"Ddim y chi'ch dwy oedd yn gwerthu'r papur hawliau merched yn y dre?"

Gwridodd Henriét. Tybed wyddai ef am y storïau fu'n mynd ar led amdanyn nhw? Yn sydyn, cofiodd ei wyneb. Roedd o'n un o'r rhai caredig a brynodd gopi o'r cylchgrawn ganddi.

"Mi fûm yn edrych amdanoch wedyn, ond welais i ddim siw na miw ohonoch," meddai Aneurin.

"Dim ond unwaith fuon ni wrthi," cyfaddefodd Henriét.

"Gweithio yn y banc ydw i, yn clercio, felly dwi'n union o flaen y siop gemist."

Cododd Henriét ei phen.

"Fan'no mae Tada yn gweithio, yn y Banc – Ifan Hughes ydi ei enw."

"Merch Ifan ydych chi, felly? Dyn caredig iawn. Mi fu'n amyneddgar iawn efo mi yn ystod fy nyddiau cynnar. Wel, wel."

Roedd yn hogyn rhwydd i siarad ag o, a sgwrsio fu'r ddau

uwchben brechdanau wy a chacenni bach. Roedd Gladys gerllaw yn siarad efo criw o fechgyn a merched. Wedi bwyta, aeth pawb am dro, ac arhosodd Aneurin yn gwmni i Henriét. Cyflwynodd Aneurin a Gladys i'w gilydd.

"Dyma chi Gladys, halen y ddaear – fy ffrind gorau. Gladys, dyma Aneurin, sy'n daer dros hawliau gweithwyr – a merched."

Cyfarchodd y ddau ei gilydd.

"Mae Aneurin yn gweithio yn yr un banc â Tada hefyd," eglurodd Henriét.

"Ydi'ch tad chithau yn y banc?" holodd y gŵr ifanc.

Bu saib anghyfforddus, ac edrychodd y ddwy ar ei gilydd.

"Nac ydi," atebodd Gladys, a'i gadael ar hynny.

"Dwi'n meddwl eich bod chi'n ddewr iawn yn ymladd dros eich hawliau," meddai Aneurin, i newid trywydd y sgwrs.

Cerddai'r tri i lawr llwybr troed tlws, ac roedd blodau'n frith o'u cwmpas. Roedd y rhan fwya o'r criw wedi mynd o'u blaenau.

"Dwi ddim wedi cyfarfod dynion sy'n bleidiol i'r Syffrajéts o'r blaen," meddai Henriét. "Gwneud sbort ar ein pennau wna hogia'r Band of Hope."

"Falle eich bod yn cymysgu efo'r math anghywir o hogia," atebodd Aneurin, efo gwên. "Meibion Llafur ydan ni, yr ILP."

"Beth ydi hynny?"

"Yr Independent Labour Party ... o blaid tegwch i'r gweithwyr, a thegwch i ferched – tegwch i bawb."

"Beth sy'n eich gwneud yn wahanol i'r Liberals?" gofynnodd Gladys.

"Pobl ddosbarth canol, canol-y-ffordd ydyn nhw, jest

eisiau gwelliant fan hyn a fan draw. 'Dan ni'n teimlo fod angen plaid i ganolbwyntio'n llwyr ar hawliau'r gweithiwr – ddaw hi ddim fel arall."

"Mi fyddwn yn cytuno â hynny," meddai Gladys yn bendant. "Ydych chi'n croesawu merched fel aelodau?"

"Siŵr iawn. Mae teulu Mrs Pankhurst yn aelodau brwd."

Mewn distawrwydd y bu'r tri'n cerdded wedyn, ac roedd pen Henriét yn llawn syniadau. Oedd hi'n Rhyddfrydwr go iawn, neu ddim ond credu'r un peth â'i rhieni? Petai'n cael y bleidlais fory nesaf, i bwy y byddai'n rhoi croes? Doedd hi ddim wedi meddwl o'r blaen. Roedd y cyfan mor ddiddorol, ac mor bwysig. Wedi'r cwbl, doedd yna ddim llawer o bethau pwysicach na sut i wella bywydau pobl.

Erbyn diwedd y dydd, roedd y ddwy ohonyn nhw wedi gwneud llond gwlad o ffrindiau newydd.

"Diolch am bnawn braf," meddai Henriét.

"Hyfryd oedd dod i nabod y ddwy ohonoch. Siawns na wela i chi eto – yn fuan gobeithio."

"Fi oedd yn iawn 'te?" meddai Miss Davies ar y ffordd adre. "Mae o'n talu ambell waith i fentro i ganol criw dieithr. Welais i 'run ohonoch ar eich pen eich hun trwy'r pnawn. Gawsoch chi amser da?"

"Dwi eisiau canfod mwy am yr ILP," meddai Henriét.

"O'r gorau, dyna drywydd difyr arall."

"Tydi o'n od nad ydi neb wedi sôn wrthon ni am y petha hyn o'r blaen?" oedd unig sylw Gladys.

"Chwarae teg, maen nhw i gyd yn betha eitha newydd," meddai Miss Davies. "Ac mi fydda i'n meddwl yn aml, er bod y rhain yn ddyddiau cythryblus, dwi'n falch mai yn y cyfnod hwn dwi'n byw. Mae o'n gyfnod ofnadwy o gyffrous. Dwi'n credu y byddwn yn gweld newid aruthrol yn ystod y blynyddoedd nesa!"

Pennod 13

Braf ydi cofio'r dyddiau hynny pan oedd popeth mor newydd a chynhyrfus. Dwi'n dal i allu cofio gwefr y picnic pan gwrddais ag Aneurin am y tro cynta. Mor ifanc ro'n i! Mor llawn gobaith, a Miss Davies yn porthi'r gobaith hwnnw gan beri inni feddwl fod buddugoliaeth o fewn cyrraedd! Roedd yr haf hwnnw, a'r hydref a'i dilynodd, yn llawn darganfyddiadau newydd – dysgu, darllen, dadlau, a'r byd yn troi fel top o un datguddiad anhygoel i'r llall. Dyna pryd y deuthum i gyfarfod cymaint o ffrindiau, hefyd – Edith, Mary Preis, Annie, Julia, Margaret, a Gladys ffyddlon wrth fy ochr, ym mhob sefyllfa. Pam oedd o mor anodd? Dyna oedd y cwestiwn bob tro. Pam oedd pleidlais i ferched yn rhywbeth mor ddychrynllyd o anodd i bobl mewn grym ei dderbyn?

"Fel hyn mae o'n dy siwtio orau."

Roedd Gladys yn stafell Henriét a'r ddwy yn arbrofi efo steiliau gwallt gwahanol. Efo Henriét bellach yn bymtheg, roedd yn awyddus i wisgo ei gwallt i fyny ar dop ei phen. Roedd Gladys yn gryn feistres ar y dasg, ac wedi rhoi cant a mil o binnau ynddo i'w steilio. Pan edrychodd Henriét yn y drych, roedd merch go wahanol yn edrych yn ôl arni.

"Aw! Mae'r pinnau'n brifo!"

"Rhaid i chdi gael lot neu wnaiff o ddim aros yn ei le.

Mae'n werth y boen. Edrych mor smart wyt ti."

Roedd yn rhaid i Henriét gyfaddef ei bod yn edrych yn ddel. Roedd codi ei gwallt yn gwneud ei gwddf yn llawer mwy amlwg, ac yn dangos ei chlustdlysau.

"Teimlo'n drwm mae o," meddai, wrth symud ei phen yn ôl ac ymlaen.

"'Run faint o wallt sydd gen ti, dim ond ei fod o i gyd ar y top," meddai Gladys.

Cododd Henriét a cherdded o amgylch y stafell.

"Mae'n effeithio ar y ffordd dwi'n cerdded hefyd. Dwi fel taswn i'n trio ei gadw fo rhag disgyn."

"Ledi Henriét, myn coblyn i!" meddai Gladys gan ei dynwared. Dechreuodd y ddwy chwerthin yn harti, a gorwedd ar eu cefnau ar y gwely.

"Bydd yn ofalus, neu bydd fy nghampwaith yn cael ei ddifetha – edrych, mae 'na binnau'n dod yn rhydd rŵan. Dos yn ôl i eistedd, i mi eu rhoi nhw'n ôl yn eu lle. Does 'na ffys efo ti?"

Edrychodd Henriét ar ei hadlewyrchiad.

"Dwi ddim yn teimlo'n fi fy hun."

"Fel hyn fydd dy wallt bob dydd mewn dipyn, felly well i ti ddod i arfer ag o."

"Pam?" holodd Henriét

"Dyna ydi tyfu i fyny, am wn i. Fedri di ddim ei gadw fo mewn plethen am byth."

"Pam, Gladys? Pam mae rhaid inni wneud ein gwalltiau a gwisgo fel mae pobl yn disgwyl inni ei wneud?"

Cododd Gladys ei hysgwyddau.

"Mi fedren ni fod yn wahanol, am wn i – gwisgo ein

gwalltiau i lawr, a gwrthod gwisgo staes – fasan ni fel dwy hen wrach!"

Wedi stopio chwerthin, trodd Henriét i edrych ar ei ffrind. Weithiau teimlai nad oedd eisiau tyfu, y carai roi stop ar amser, a chadw pethau fel roedden nhw. Ni allai ddychmygu adeg pan na fyddai Gladys a hi'n gwneud bob dim efo'i gilydd.

"Beth sy'n bod? Ti wedi sobri," meddai Gladys.

"Mae 'na ran ohono i sydd ddim eisiau tyfu ... dwi ddim eisiau i betha newid."

"Dwi'n teimlo 'run fath, ond mae'n rhaid iddo fo ddigwydd, does? Mae'n rhaid inni droi'n wragedd."

"Ond a oes raid inni fod fel pawb arall? Dwi ddim eisiau i betha newid rhyngot ti a fi ..."

Cododd Gladys a mynd at y ffenest.

"Na finna, ond mi fyddwn yn gadael ysgol, a ... wn i ddim be fydd yn digwydd wedyn."

"Fasan ni'n gallu cychwyn siop efo'n gilydd."

"Dwi ddim yn siŵr a ydw i eisiau rhythu i'r dyfodol," meddai Gladys, a dechrau codi'r dillad oedd ar y llawr. "Mae hon yn ffrog ddel."

"Gwisga hi," meddai Henriét. "Mae hi bron â bod yn rhy fach i mi."

Er bod Gladys yn hŷn na'i ffrind o 'chydig o fisoedd, roedd yn llai o faint. Pan roddodd y ffrog amdani, roedd yn ei ffitio fel maneg. Ffrog biws ydoedd efo blodau bach gwyn drosti.

"Mae hon yn ddigon o ryfeddod, Gladys. Dwi'n lecio ei gwisgo, defnydd meddal ydi o, 'te?"

Edmygodd Gladys ei hun yn y drych.

"Mae gen ti ffrogiau lot neisiach na'm rhai i"

"Mae croeso i ti ei chael. Dwi ddim am gael fawr o wisg ohoni bellach. Dos â hi adra efo ti."

"Be ddywed dy fam?"

Sicrhaodd Henriét y byddai ei mam ond yn rhy falch o weld y ffrog yn cael cartref da, a diolchodd Gladys. Peth prin iawn oedd iddi gael dilledyn newydd.

"Tria'r un ddu 'na."

Roedd y ddu, er yn rhy fawr iddi, yn gweddu Gladys i'r dim. Un o hoff bleserau'r merched oedd gweld sut y byddai'r un ffrog yn edrych yn gwbl wahanol ar y ddwy ohonyn nhw. Pryd golau oedd Gladys, a Henriét efo gwallt du fel eboni.

"Rwyt ti rêl boneddiges yn honna!" meddai Henriét, gan ei hedmygu. "Lêdi Ali-bô! Fel fasa mam yn ei ddeud. Cwbl wyt ti eisiau rŵan ydi Lord Ali-bô!"

Gwenodd Gladys, a throi yn ei hunfan. Roedd gwisgo dillad crand yn gwneud iddi deimlo'n wahanol.

"A pwy ydi dy Lord di – Aneurin?" gofynnodd.

"Mae o'n glên, tydi," meddai Henriét, "'mond ei fod o'n gymaint hŷn na mi."

"Dydi tair blynedd yn ddim byd – dydi o ddim yn hen ŵr, nac ydi?"

"Lord Aneurin? Fydd o byth yn un o'r rheini, ac yntau'n Sosialydd," meddai Henriét, "er y gallai ddod yn Aelod Seneddol, falle ... Wyddost ti pam bod angen yr House of Lords a'r House of Commons?"

"Lords yn un, a'r Commons yn llall, siŵr."

Cododd Henriét ei llygaid. "Dwi'n deall hynny, gofyn *pam* bod angen dau dŷ ydw i."

"Bob dim mae Tŷ'r Cyffredin yn ei benderfynu, rhaid iddo fynd o flaen Tŷ'r Arglwyddi – neu dydi o ddim yn cael ei basio."

"Dydi hynny ddim yn deg. Pwy sy'n fotio dros yr Arglwyddi?"

"Neb, siŵr – cael dy wneud yn Arglwydd wyt ti, gan y brenin."

"Mae'n syndod ein bod yn gallu gwneud unrhyw ddeddfau, felly!"

"Ydi, dan system mor annheg. Ond dyna mae Lloyd George yn cael trafferth efo fo rŵan. Mae o wedi cael swydd y Canghellor, ac mi edrychodd ar y biliau a'r rhestr siopa, a meddwl bod popeth braidd yn annheg – fod y cyfoethogion efo cymaint o bres, a phobl eraill mor dlawd ..."

"Dyna ydi Cyllideb y Bobl?"

"Yn union – deddf i rannu dipyn o'r cyfoeth, fel bod pobl gyfoethog yn talu dipyn mwy o drethi, a bod gan y wlad fwy o arian i'w wario ar y bobl dlawd." Yn ei ffrog laes, roedd Gladys yn ei helfen yn actio'r rhan. Aeth yn ei blaen, gan godi llyfr gerllaw.

"Pan welodd Tŷ'r Arglwyddi y ddeddf, bu bron iddyn nhw lewygu, a dyma nhw'n deud, 'Na, Na! Dydan ni ddim am ganiatáu hyn!' Felly mi aeth hi'n etholiad. Ac efo'r fath sefyllfa, maen nhw'n deud y bydd yna etholiad arall cyn diwedd y flwyddyn."

Gan ei bod yn edrych cystal yn y ffrog, cynigiodd Henriét blethu gwallt Gladys, ac eisteddodd Gladys yn y gadair wrth y bwrdd.

"Ddeudodd Mam beth rhyfedd y dydd o'r blaen," meddai

Henriét. "Sôn oedd hi fel roedd hi'n poeni amdana i, a finna'n deud nad oedd angen. A meddai hi, 'Ddallti di pan fydd gen ti blant dy hun.'"

"Does dim yn rhyfedd am hynny."

"Wel, 'mond y syniad ohono i'n fam – yn gyfrifol am blant! Mae o'n syniad hurt!"

"Mae o'n digwydd, tydi?" meddai Gladys. "Ond mae meddwl amdanat ti efo babi yn dy freichiau'n syniad digri! Aw, ti'n tynnu ..."

"Mae gen ti wallt trwchus – ti'n lwcus."

"Ond mae'r babi yn dy gorff am naw mis, felly mae'n rhaid fod dy ben yn cael cyfle i ddygymod â'r sefyllfa ..."

"Dyna'r un peth mawr sy'n gwahaniaethu dynion a merched, 'de? Mai merched yn unig fedr gario plant."

"A'r ffaith na fedrwn dyfu mwstásh" atebodd Gladys, mwya difrifol. Wrth gwrs, parodd hyn i'r ddwy chwerthin yn afreolus.

Roedd Gladys yn edrych yn berffaith yn y ffrog ddu, a'i gwallt yn blethen wedi ei throi o amgylch ei phen.

"Well i mi ei thynnu rŵan," meddai, yn edrych yn hiraethus yn y drych. Peth braf oedd gwisgo dillad crand a smalio bod yn rhywun arall, petai ond am bnawn. "Rhaid i ti ddeud fod dillad yn llawer mwy cyfforddus heb staes," meddai. "Falle mai dyna un peth wna i yn 1910 – stopio gwisgo staes."

Gwenodd Henriét. "Pa siâp fyddai arnat ti wedyn?"

"Siâp fi fy hun 'te!" meddai Gladys. "Dyna ennill hanner y frwydr o Ryddid i Ferched, ein bod ni'n cael bod yn fodlon efo'n siâp ein cyrff ein hunain, a'n steils gwallt ein hunain yn lle ein bod yn trio gwneud ein hunain i siapiau mae dynion yn eu hoffi. Mae'r peth yn hurt!"

Ac o'i roi felly, meddyliodd Henriét, roedd o'n swnio fel y peth mwya naturiol dan haul.

Pennod 14

"Mae'r Brenin wedi marw" meddai ei mam wrth ddod adre o'r dref un dydd poeth o Fai, ac aeth â'i basged i'r gegin. Cofiodd Henriét y foment honno am byth.

Eistedd yn y parlwr yr oedd yn darllen cerddi, a synnodd o glywed neges ei mam. Doedd hi ddim wedi meddwl am frenhinoedd fel bodau go iawn – pobl smâl oedden nhw efo coronau ar eu pennau, fel rhai mewn stori. Roedden nhw'n addurno stampiau ac arian, ac yn agor senedd-dai a chyfarfod pobl bwysig, ond roedd y syniad o frenin marw yn rhywbeth dieithr iawn. Edrychodd Henriét tu allan, a gweld aderyn y to yn sefyll ar gangen. Trodd yr aderyn i edrych arni, a hedfan i ffwrdd.

Oedd, roedd y byd yn mynd yn ei flaen. Ymhen dipyn, byddai'n cau'r llyfr, yn cerdded o'r stafell, ac yn mynd i gael ei bwyd. Erbyn y bore, byddai brenin newydd ar yr orsedd, a byddai'r hen un yn cael ei gladdu. Dyna sut y bu erioed, dim ond mai dyma oedd y tro cynta iddi hi glywed y newydd, a'i ddeall. Plentyn bach oedd hi pan fu farw'r Frenhines Fictoria. Ond y tro hwn, wrth edrych ar yr aderyn a chofio'r foment honno, gwawriodd arni nad oedd dim yn aros yr un fath am byth, a bod brenhinoedd hwythau'n marw.

Bu lluniau o'r cynhebrwng yn y papurau, ac ni welwyd

angladd tebyg. Roedd pawb oedd yn rhywun yn y byd wedi dod i Lundain i dalu teyrnged. Un o'r lluniau a hoffodd pawb oedd llun o gi y brenin yn dilyn yr hers. Oherwydd yr angladd, roedd gorymdaith y merched oedd wedi ei threfnu yn Llundain wedi ei gohirio am fis. Un gafodd fynd i lawr i Lundain i'r orymdaith oedd Miss Davies, a chafodd Gladys a Henriét fynd draw i'w chartref wedyn i glywed yr hanes. Byddai'r ddwy ffrind wrth eu boddau'n cael mynd am de at Miss Davies.

Ar y bwrdd bach a orchuddiwyd gan liain gwyn roedd llestri del, tebot crand a brechdanau wy. Yna, ar amrywiol blatiau, roedd cacenni bach, a tharten a jwg hufen.

"Dwi wedi deud o'r blaen, does neb tebyg i chi am wneud te," meddai Gladys, a'i llygaid yn sgleinio gan gymaint yr edrych ymlaen.

"Dwi'n cael pleser o baratoi ar eich cyfer," meddai Miss Davies gan basio'r plât brechdanau at y merched. "Estynnwch atyn nhw."

"Sut aeth hi'n Llundain?" gofynnodd Henriét yn awchus.

"Gwefreiddiol, ro'n i'n pitïo cymaint na fyddai'r ddwy ohonoch chi yno efo mi. Wir i chi, roedd hi'n olygfa werth chweil. Welsoch chi'r lluniau?"

Nid oedden nhw wedi gweld yr un llun. Roedd angladd y brenin wedi ei blastro dros bob papur a chylchgrawn, ond doedd yr un o'r ddwy wedi gweld sôn am orymdaith y merched.

"Aethon ni â'r faner roeddech chi'ch dwy wedi ei gwnïo," meddai, "ac roedd pob math o faneri yno. Meddyliwch – deng mil o ferched yn gorymdeithio'n urddasol a'r cyfan yn ddwy filltir o hyd. Mi gofia i'r diwrnod am byth. Be oedd y geiriad ar un faner, deudwch? 'Taxation without representation is Tyranny.' Mae hynny'n deud y cwbl, tydi?"

"Faswn i ddim yn lecio gwnïo'r faner honno!" meddai Henriét, yn cofio faint o waith oedd gwnïo'r llythrennau ar eu baner nhw.

"Oedd rhai o Gymru yno?"

"Ro'n i efo criw o ddwsin o ferched, a daethon ni i nabod rhai newydd –merched o ochrau Lerpwl. Falle mai dyna'r peth brafia am y diwrnod – teimlo eich bod yn rhan o rywbeth mwy. Lle bynnag roeddech chi'n edrych, merched oedd yno, merched oedd yn teimlo fel chi, ac yn dymuno gweld yr un cyfiawnder. Mae hi mor hawdd i ni feddwl amdanon ni'n hunain fel lleiafrif gwallgof – ac wrth gwrs, dyna sut mae'r Drefn eisiau inni synio amdanon ni'n hunain."

"Ac roedd yr haul yn gwenu."

"Oedd, diolch byth. Gymrwch chi ddarn o darten, Gladys? Eich ffefryn."

Helpodd Gladys ei hun i ddarn o darten gwsberis, a rhoddod Henriét y jwg o hufen iddi.

Byddai Henriét yn hoffi gwylio Gladys yn bwyta. Byddai'n blasu popeth efo'r fath fwynhad, roedd yn bleser ei gweld.

"Mm, mae hon gystal ag erioed. Mi leciwn tasech chi'n fy nysgu i i wneud *pastry* fel hyn ..."

"Pam ddim? *Pastry* da sy'n brawf o wraig dda, medden nhw i mi," meddai Miss Davies efo winc.

"Be oedd yr olygfa orau welsoch chi?" gofynnodd Henriét, yn awchu am fwy o hanes. Roedd wedi ail-greu'r dorf yn ei meddwl, ac eisiau pob manylyn.

"Gorymdaith y carcharorion oedd yr orau, a'r fwya trawiadol o bell ffordd. Roedd pob merch oedd wedi bod yn y carchar dros yr achos wedi ei gwisgo mewn gwyn, ac yn cario ffon efo saeth arni, yn arwydd iddi fod dan glo. Dim ond o'i gweld felly efo'i gilydd oeddech chi'n sylwi maint yr aberth. Ond y teimlad – y teimlad oedd yn y merched, roedd cymaint o obaith yno. Bron nad oedd hi'n orymdaith fuddugoliaeth yn barod. Mae pawb yn credu y bydd y Conciliation Bill hwn yn pasio'r ail ddarlleniad. Mae'n rhaid iddo!"

"Ac wedyn bydd y cyfan ar ben?" gofynnodd Henriét.

"Na fydd. Dim ond mesur i ferched cefnog gael y bleidlais ydi hwn. Ond bydd yn agor y drws – dyna gred llawer ohonon ni. Mae chwarter miliwn o enwau ar y ddeiseb, felly fedran nhw mo'i hanwybyddu. Ond mae'r peth yn ferw o bolitics, a phawb yn chwarae eu cardiau eu hunain."

"Mae'n beth rhyfedd i'w ddeud," meddai Gladys, "ond ro'n i ofn i chi ddeud rŵan y byddai'r frwydr drosodd. Dwi *eisiau* cael bod yn rhan ohoni – eisiau mynd i Lundain tro nesa, dwi eisiau codi'n llais, eisiau gwneud fy rhan."

"A minna hefyd," cytunodd Henriét.

Gwenodd Miss Davies wrth dollti te i'r cwpanau.

"Mi gewch chi chwarae'ch rhan, o cewch, peidiwch chi â phoeni. Dydi'r frwydr dros hawliau merched ddim ar ben – o bell ffordd."

Roedd hynny'n newyddion da i'r ddwy ffrind.

Yn un o dai mawr y dref roedd Myfi Williams, mam Gladys, ar ei gliniau wrth y lle tân yn blacledio. Hen waith blinedig oedd hwnnw, ac roedd ei breichiau'n brifo. A dweud y gwir, roedd yn brifo drosti, ond roedd y poen yn ei chefn yn gwaethygu. Roedd yn mynd yn fwy fwy anodd i'w anwybyddu. I baratoi'r tân, gwasgodd y papur newydd gerllaw, a sylwi mai'r pennawd oedd marw'r brenin. Teimlai'n amharchus yn crebachu ei lun yn belen, ond waeth befo. 'Naughty Boy' roedd ei mam wedi galw Edward VII erioed, a doedd hi 'rioed wedi mentro gofyn pam.

Wedi gosod y tân, roedd y gwaith butraf ar ben, a dim ond dystio'r stafell a glanhau'r llawr oedd i'w wneud. Erbyn diwedd diwrnod o lanhau, doedd dim egni ar ôl yn ei chorff. Gan fod gwaith tŷ mor undonog ac unig, câi Myfi Williams ddigon o amser i feddwl, a doedd dim prinder pethau i boeni yn eu cylch.

Enid a'i salwch a'i poenai gan amlaf, ac ni wyddai beth i'w wneud yn ei gylch. Roedd hi'n beth bach wantan, ac roedd y peswch cyson oedd ganddi'n gwrthod cilio.

Roedd y moddion i'w drin yn gostus, a dyna pam roedd gwariant Abel ar gwrw yn ei gwylltio cymaint. Falle bod rhaid i'r dyn wrth ei ddiod, ond pam na allai weld fod mwy o angen y pres ar Enid? Anodd iawn oedd deall. Roedd yn dda fod Gladys ganddi – roedd Gladys fel y graig. A da o beth oedd ei bod wedi ennill y *scholarship* i barhau â'i haddysg.

Fydden nhw byth wedi gallu fforddio talu amdani. Ni fedrai Myfi ei hun wneud fawr mwy na sgwennu ei henw, ac er pan oedd yn blentyn dim ond addysg ysgol Sul a gafodd. Roedd gan Gladys allu go iawn, fe allai fynd yn bell.

Yn rhyfedd ddigon, fyddai Myfi byth yn dyfalu pam y câi ei churo gan ei gŵr. Dim ond un dirgelwch arall oedd hwnnw, fel Dydd y Farn, neu salwch Enid neu Dlodi.

I rai pethau, doedd dim eglurhad. Roedd o'n ei churo ers cymaint o amser, daeth i'w dderbyn fel rhan o fywyd priodasol. Falle iddo gamddeall y llw a gymerodd, yn lle ei charu, ei fod wedi cymryd mai ei churo roedd o i fod i'w wneud ... A'r Ddiod oedd y felltith wirioneddol, nid Abel. Oni bai am hwnnw, byddai ganddi lai o gleisiau. Gwnâi'r ddiod Abel yn ddyn cas. Fuodd o ddim felly erioed. Rhywle yn niwl y cof, roedd hi'n siŵr fod adegau hapus wedi bod ...

Ofer fyddai ceisio dyfalu, prun bynnag. Dal ati – dyna'r unig beth oedd ar ôl. Deffro bob bore, a dal ati tan ddiwedd dydd. Dyna wnaeth ei mam a'i mam hithau o'r blaen. Dyna'r unig beth fedrai merched ei wneud. Pe na baen nhw'n gwneud hynny, byddai popeth yn rhacs.

Sylwodd ar y ddau ganhwyllbren ar y silff ben tân a chofio'n sydyn nad oedd wedi eu polisio. Byddai gwraig y tŷ yn flin iawn am hynny. Roedd yn rhaid i'r brasys sgleinio.

Prysurodd Myfi gyda'i gwaith.

Pennod 15

Mae bwrdd te Miss Davies i'w weld fel rhyw olygfa ar y lleuad bellach, mae hi mor bell i ffwrdd. Mae'n fyd gwahanol. Dwi'n ei weld megis ffotograff, a dwi wedi blasu'r darten gwsberis a'r hufen llyfn ganwaith ers pan dwi yma. Dwi'n edrych ar lygaid Gladys yn sgleinio'n llawen, a dwi'n cofio'r modd roedd Miss Davies yn plygu ei phen wrth dollti te.

Roedd ei chwpan yn llawn wedi bod ar yr orymdaith yn Llundain, ac roedd hi fel petai'n tollti'r gobaith hwnnw i ni, ein llenwi efo fo, ac yn peri inni feddwl bod dydd llawenydd ar fin gwawrio. Ond mae oglau'r carchar yma'n llenwi fy ffroenau rŵan, a blas sur y cyfog gwag yn fy ngwddf. Mae budreddi o 'nghwmpas lle bynnag dwi'n edrych, a dwi'n breuddwydio am 'molchi mewn dŵr poeth a throchion sebon ...

Er gwaetha gobaith Miss Davies a'i ffrindiau, nid aeth y mesur drwy'r Senedd, er mai dim ond mesur i roi pleidlais i ferched cyfoethog oedd yn berchen eiddo ydoedd. Bu protest fawr yn Nhŷ'r Cyffredin, a'r peth cynta a wyddai Henriét amdani oedd sŵn curo ar ddrws y tŷ.

"Mae rhywun yma i dy weld. Aneurin Edwards ydi ei enw," meddai ei mam, yna trodd ei phen a gweiddi, "Dewch drwodd."

Roedd Henriét yn ymwybodol ei bod wedi cochi hyd fôn ei chlustiau, a phan ddaeth Aneurin i mewn, roedd golwg bryderus ar ei wyneb. Roedd y ddau ohonyn nhw'n teimlo'n ddieithr dan yr amgylchiadau; wedi'r cwbl, doedd Aneurin erioed wedi bod yn ei chartref o'r blaen.

"Aneurin ydi hwn, Mam."

"Ia, mae o newydd ddeud wrtho i," meddai ei mam efo gwên. "Rydych yn nabod eich gilydd, dwi'n gweld."

"Ydym ... ym, ddaru ni gyfarfod ar daith y Gymdeithas Ddadlau llynedd – drwy Miss Davies."

"Dw inna'n ffrind i Miss Davies," meddai Ann Hughes, "drwy'r Mudiad Merched. Croeso i chi yma. Eisteddwch. Gymrwch chi baned?"

"Dwi'n iawn," meddai Aneurin yn betrusgar. "Wedi galw yma ar neges ydw i – ynglŷn â Miss Davies, yn digwydd bod."

"Oes rhywbeth yn bod?" holodd mam Henriét.

"Mi wyddech fod protest o flaen Tŷ'r Cyffredin ddoe, a bod Miss Davies wedi mynd yno?"

"Wyddwn i ddim ei bod wedi mynd," meddai Henriét. Petai wedi sôn, byddai wedi mynnu cael mynd efo hi, a Gladys, siŵr o fod.

"Mi wrthodwyd y mesur," meddai Aneurin.

Gostyngodd ysgwyddau Ann Hughes. Unwaith eto, roedden nhw wedi cael eu trechu – sawl gwaith roedden nhw wedi trio? Gwelodd lygaid ei merch yn edrych yn ddryslyd arni.

"A ninna wedi gobeithio cymaint ..." meddai.

"Ond sut digwyddodd y fath beth?" gofynnodd Henriét.

"Asquith oedd yn mynnu nad oedd digon o amser

seneddol i drafod y mater yn llawn, ond yr ofn ydi y bydden nhw wedi gwrthod ei gefnogi prun bynnag, gan mai merched cyfoethog yn unig fyddai'n cael pleidlais ... Beth bynnag, aeth y merched i mewn i Dŷ'r Cyffredin, roedden nhw wedi gwylltio cymaint, ac mi ... wel, mi aeth petha'n flêr yno ... Mae hanner cant o ferched wedi eu hanafu."

"Sut yn y byd?" holodd mam Henriét.

"Roedd yr heddlu'n ffiaidd efo nhw, yn eu curo, ac yn tynnu eu gwalltiau, ac yn eu gwthio."

"Dydi Miss Davies 'rioed wedi cael ei brifo?" gofynnodd Henriét yn sydyn.

"Mae gen i ofn ei bod – mae telegram wedi cyrraedd i ddeud ei bod wedi torri ei braich. Ro'n i'n meddwl y dylwn roi gwbod i chi, gan eich bod yn ffasiwn ffrindiau."

"Diolch am feddwl amdanon ni, Aneurin," meddai mam Henriét. "Oes rhywbeth y gallwn ni ei wneud i'w helpu?"

"Mi fedra i roi cyfeiriad y merched y mae'n aros efo nhw ar hyn o bryd, os ydi hynny o help. Gallwch anfon gair yno, am wn i ... Fedra i ddim meddwl be arall fedrwch chi ei wneud. Wn i ddim pryd y daw adra, ond os clywa i, mi ro i wbod i chi'n syth."

"Mae hyn yn newyddion ofnadwy," meddai Henriét.

"Ydi, ac mae'r merched fel petaen nhw wedi cyrraedd pen eu tennyn. Os na fedr Llywodraeth Ryddfrydol roi'r hawl i ferched, be ddigwyddith? Ac mae sôn y bydd etholiad arall ..."

Meddyliodd Henriét y byddai'n achub ar y cyfle i egluro i'w mam.

"Aelod o'r ILP yw Aneurin."

"Criw Keir Hardie," atebodd ei mam. "Mae gen i barch mawr at y dyn yna."

"Rydym yn trio ei gael i annerch cyfarfod cyhoeddus yma yn y gogledd," meddai Aneurin. "Mae o'n llais newydd."

"Mae o'n fwy cefnogol i hawliau merched na Lloyd George, mi ddeuda i hynny. Ydych chi'n siŵr na chymrwch chi baned?"

"Mae'n well i mi fynd rŵan, diolch – er cymaint y carwn aros – mae Miss Davies wedi gofyn i mi fynd o amgylch ei ffrindiau ..."

Henriét ddaru ei dywys ar y drws, ac ymddiheurodd eto na allai aros.

"Rŵan eich bod yn gwbod lle rydan ni'n byw, mae croeso i chi alw eto," meddai Henriét.

"Diolch am y gwahoddiad. A gobeithio na fydda i'n dod â newyddion mor drist y tro nesa."

Ac yn gwbl ddiseremoni, gadawodd Aneurin y tŷ. Gwyliodd Henriét y drws yn cau ar ei ôl. Roedd o wedi mynd. Cymaint o weithiau y dychmygodd y sefyllfa, pe bai Aneurin yn digwydd galw ... Beth fyddai'n ei wisgo, beth fyddai'r sgwrs, beth fyddai ymateb ei mam. A bellach, roedd o wedi digwydd, ac roedd o drosodd mewn chwinc ...

"Henriét, wyt ti'n iawn?" gofynnodd ei mam, wrth ei gwylio'n syllu ar y drws.

"Ydw, Mam." Trodd i'w hwynebu.

"Beth yn y byd fydd yn digwydd nesa?"

Cofiodd yn sydyn am rywun arall annwyl iddi. Gafaelodd

yn ei chôt ac allan â hi ar frys. Rhedodd i lawr y stryd a chlywed ei mam yn gweiddi ar ei hôl:

"Henriét! Lle wyt ti'n mynd?"

"Dydi Gladys ddim yn gwbod!" ac i ffwrdd â hi.

Pennod 16

Gyda'i gwynt yn ei dwrn, rhuthrodd Henriét i lawr y stryd a rhedeg cyn gynted ag y gallai. Roedd wedi cynhyrfu o weld Aneurin, ac roedd ei neges wedi ei dychryn. Y cwbl y gallai feddwl amdano oedd wyneb Miss Davies druan mewn poen, a'i chorff wedi ei frifo gan heddlu milain Llundain ...

Y tro dwytha iddi weld Miss Davies oedd pan gafodd Gladys a hi de yn ei llety. Edrychai mor ddel mewn blows gotwm felen, a broetsh fach arian ar ei gwddf. Doedd hi 'rioed wedi gweld ei hathrawes heb fod yn drwsiadus, a'i gwallt wedi ei glymu'n dwt. Roedd hi fel dol ... a dyna hi bellach yn gorwedd mewn gwely dieithr, gannoedd o filltiroedd i ffwrdd, a dim modd cysylltu â hi. Rhedodd Henriét rownd cornel stryd, a dod wyneb yn wyneb â gwraig. Gan ei bod yn mynd ar y fath gyflymder, trawodd y naill i mewn i'r llall.

"Bobl bach, hogan, be ydach chi'n meddwl ydach chi'n ei wneud?"

"Mae'n ddrwg gen i, ar frys ydw i ..."

"Ar frys? Dach chi fel gafr ar dranau ..."

"Sori. Ydach chi'n iawn?"

"Wn i ddim wir, dach chi wedi fy styrbio'n llwyr, ac edrychwch, dwi wedi colli'r afalau o 'masged."

Cododd Henriét ddau afal, a'u rhoi yn ôl iddi.

"Faint ydi eich oed chi?"

"Un ar bymtheg."

"A dach chi'n meddwl ei fod o'n addas i ferch o'ch oed chi fod yn rhedeg fel 'na?"

Edrychodd Henriét yn syn arni.

"Dydi *lady* byth yn rhedeg; mae'n ymddygiad anaddas. Dach chi'n ddigon hen i wbod hynny bellach, siawns."

A cherddodd y wraig i ffwrdd a'i thrwyn yn yr awyr. Edrychodd Henriét yn syn ar ei hôl. Beth yn y byd oedd merch i fod i wneud os oedd hi ar frys, felly? Ailgychwynnodd redeg, ond yn fwy gofalus.

Yn ffodus, Gladys agorodd ddrws y tŷ, a phrin oedd gan Henriét ddigon o anadl i ddweud ei neges.

"Miss Davies druan. Bechod na allen ni ddal trên i fynd i'w gweld," meddai Gladys.

"Bechod fod Llundain mor bell."

Aeth y ddwy am dro, ac roedd y newyddion oedd gan Gladys i'w rannu'n fwy o sioc i Henriét na'r stori am Miss Davies druan.

"Dwi'n dechra gweithio'n fuan, Henriét," meddai, mwya didaro.

"Be wyt ti'n ei feddwl?"

"Dwi'n gadael 'rysgol a dwi wedi cael swydd ... swydd mewn siop ... yn y dre."

Stopiodd Henriét yn stond, a gafael ym mraich ei ffrind.

"Be?"

Sylweddolodd yn sydyn fod Gladys yn cael trafferth i dorri'r newyddion, ac roedd yn difaru iddi feddwl amdani ei hun yn gynta. Dyma chwalu ei holl gynlluniau i geisio mynd i'r brifysgol, neu i geisio cael gwaith fel athrawes.

"Do'n i ddim eisiau deud wrthot ti tra bod gobaith y gallwn barhau efo fy addysg ... ond dwi wedi ceisio meddwl am bob ffordd bosib. Y peth sydd, dydi Enid ddim yn gwella, a dirywio mae petha efo Dad." Ochneidiodd. "Rydan ni angen yr arian – mae hi mor syml â hynny," ac ailgychwynnodd gerdded.

Bu'r ddwy'n cerdded mewn distawrwydd wedyn, tra ceisiai Henriét ddygymod â'r newydd. Gwyddai y byddai rhaid i'w bywydau newid yn fuan, ond roedden nhw am wynebu'r cyfan efo'i gilydd. Beth bynnag ddigwyddai, roedd ganddi ffrind yn gwmni. Gwyddai Gladys hithau faint roedd y newyddion yn brifo ei ffrind. Teimlodd fraich Henriét yn gafael am ei braich hithau.

"Mae'n ddrwg gen i ddifetha bob dim, Henriét."

"Paid â bod yn wirion! Biti drosot ti ydw i. Be wnawn ni?"

"Dwi wedi troi'r peth yn fy mhen sawl tro, a does dim fedrwn ni ei wneud."

"Ond pam na fyddet wedi deud wrtho i? Falla byddwn i wedi meddwl am rywbeth!"

"Meddwl 'ta, ond ddaw 'na ddim byd."

Ac roedd hi'n dweud calon y gwir. Doedd dim ateb. Yn wir, yr unig beth da oedd fod Gladys wedi llwyddo i gael gwaith, ond pwy fyddai'n gwrthod ei chyflogi? Roedd hi'n hogan abl, alluog fyddai'n gaffaeliad i unrhyw siop.

"I ba siop wyt ti'n mynd i weithio?"

"Stryd Plas – efo Mr Griffiths, Colar Starts."

"Mi fydd hynna'n newid byd."

"Dydi o ddim yn *ddiwedd* y byd," meddai Gladys, yn ceisio

cysuro ei ffrind. "Mi feddyliwn am rywbeth i ddod â dipyn o sbarc i'n bywydau."

Trodd i wynebu Henriét.

"Mae'n rhaid i mi fynd adra rŵan ... Sori rhoi ffasiwn sioc i ti, ond fedrwn i ddim dy dynnu i mewn i drafferthion y teulu."

"Mae'n iawn, Gladys."

"Diolch am ddeud am Miss Davies. Fydd rhaid i ni feddwl sut i gael neges iddi ... Y peth dwi *eisiau* ddeud ydi y byddwn yn dal i allu bod efo'n gilydd, reit? O leia dwi ddim yn cael fy anfon i Lerpwl i weini! Meddwl mor erchyll fasa hynny?"

Ac efo'r syniad hwnnw'n gysur iddyn nhw, penderfynodd y ddwy gyfrif eu bendithion, ac aeth Gladys adre.

Os oedd pen Henriét yn llawn cynnwrf ar y ffordd i'r dref, roedd o'n ferw ar y ffordd adre. Gladys yn gadael 'rysgol, dechrau gweithio yn Siop Colar Starts – roedd y cyfan yn ormod i'w ddygymod ag o ... Miss Davies wedi ei chlwyfo gan blismyn, Aneurin wedi galw heibio ... Petai'n gwybod hyn wrth ddeffro'r bore hwnnw, ni fyddai'n ei gredu.

Wrth ddod i fyny Lôn Ddŵr, gwelodd haid o blant yn cael sbort fawr. Pan ddaeth yn nes, sylwodd mai galw enwau oedden nhw.

"Hen wrach! Pwy ydach chi'n mynd i'w witsio heno?" Ac yna, roedd pawb yn chwibanu'n wirion.

Dros eu hysgwyddau, ceisiai Henriét weld pwy oedd yn cael ei erlid, a dychrynodd weld Casia Clocsia druan yn sefyll yn stond mewn sioc. Un o gymeriadau Ty'n Pwll oedd Casia, rhyw enaid aflonydd fyddai'n treulio ei hamser yn crwydro o gwmpas y lle. Roedd pryfocio Casia yn un o bleserau plant y dref.

"Ewch o'ma, hen blant powld! Ewch!" gwaeddai'r hen wraig mewn llais cryg.

Dechreuodd y plant ddawnsio o'i blaen gan ganu:

"Casia ddrwg o dwll y mwg,

Witsio plant efo'i phinsh a'i gwg."

Roedd yn rhaid i Henriét wneud rhywbeth. Ceisiodd wthio heibio'r plant, ond roedd y rheini wedi cynhyrfu'n lân. Roedden nhw'n curo eu traed ar y llawr, ac yn siantio:

"Wits! Wits! Wits!"

"Mi witsia i chi os daliwch ati!" gwaeddodd Casia, a'i llygaid yn llawn ofn.

"Woooooo!!!!" atebodd y plant, wrth eu boddau'n cael ymateb.

"Pam ydach chi'n ei phlagio?" gofynnodd Henriét.

"Casia ydi hi."

"Fasach chi'n lecio i rywun wneud hyn i chi?"

"Mae hi'n gas!"

"Mae hi'n drewi!"

"Mae hi'n hen!"

"Mwy o reswm i adael llonydd iddi 'te," meddai Henriét. Trodd at y rhai hŷn. "Fedrwch chi ddim poenydio hen wreigan fel hyn! Gadwch iddi fod ..."

"Wits arall!" gwaeddodd un bachgen.

"Wooooooo!!!" meddai pawb.

Pethau creulon ydi plant weithiau, meddyliodd Henriét. Gallai deimlo eu grym fel torf. Llwyddodd Henriét i gyrraedd Casia, a gafael yn ei braich i'w hebrwng ymaith.

"Pwy ydach chi?" gofynnodd Casia, wedi mynd yn nerfus o bawb.

"Mi ddo i adra efo chi, Casia. Mi wnawn ni adael i'r plant 'ma fod ..."

"Plant y Fall ydyn nhw, plant y Fall ..." a throdd Casia'n sydyn atyn nhw. "Plant Satan!"

Parodd hyn i'r plant sobri'n sydyn, a gwaeddodd un:

"Mae hi wedi ein witsio ni!"

Trodd y rhai fenga ar eu sodlau, a'u heglu hi am adre, a chan fod yr hwyl wedi darfod, dilynodd y plant hŷn nhw. Clywodd Henriét sgwrs y plant yn y pellter:

"Un o'r Syffrajéts oedd y llall – genod sydd eisiau gwisgo trwsus," a pharodd hyn chwerthin afreolus.

Trwy lawes denau ei chôt, teimlai Henriét fraich esgyrnog a cheisio dyfalu faint oedd oed Casia. Roedd hi'n gyfarwydd â hi ers pan oedd hi'n blentyn. Testun gwawd fu hi erioed, ond roedd calon Henriét yn gwaedu drosti. Peth unig ofnadwy ydi bod yn hen wreigan. Cyn hir, roedden nhw wedi cyrraedd tai truenus Ty'n Pwll.

"Yn prun dach chi'n byw?"

"Fi?"

"Ia, Casia – pa ddrws ydi'ch un chi?"

"Mae gen i ddrws, oes – un glas." Doedd clyw Casia ddim yn gant y cant.

Safodd y ddwy o flaen tŷ rhes, tlodaidd yr olwg, a drws fu â rhyw fath o baent glas arno flynyddoedd ynghynt.

"Dach chi'n saff rŵan, Casia."

"Hogan pwy ydych chi?"

"Hogan Ann Hughes, Hafryn – Ann Gernant ..."

Nodiodd Casia.

"Wna i mo'ch gwadd i mewn, does gen i ddim te."

"Hitiwch befo, rhaid i mi ei throi hi beth bynnag."

"Hogan glên ydach chi."

"Diolch."

Aeth i mewn i'r tŷ, ac roedd ar fin cau'r drws, pan oedodd.

"Dwi ddim yn wits, chwaith."

"Biti na fasan ni, Casia. Biti na fasa'r ddwy ohonom yn wrachod. Mi fasan ni'n gallu gwneud swynion a throi'r plant yn haid o lyffantod!"

"He he he!" chwarddodd Casia, gan luchio ei phen yn ôl. Sylwodd Gladys nad oedd ganddi ddant yn ei phen.

"Go dda rŵan – troi plant yn llyffantod ... He, he, he!"

Roedd hi wedi llwyddo i godi calon hen wreigan, prun bynnag. Ar y ffordd adre, rhyfeddu at y mathau gwahanol o ferched a gyfarfu'r diwrnod hwnnw wnaeth Henriét.

Pennod 17

Daeth y brotest yn Nhŷ'r Cyffredin lle'r anafwyd Miss Davies i gael ei hadnabod fel 'y Dydd Gwener Du', gan mai hwnnw oedd y tro cynta i heddlu ymosod fel y gwnaethant ar ferched, gan eu curo a'u camdrin ac arestio dros gant ohonyn nhw. Bu farw dwy o'r merched o ganlyniad i'r anafiadau a gawsant, un ohonyn nhw'n chwaer i Mrs Pankhurst. Arestiwyd Miss Davies, ac wedi'r digwyddiad hwnnw, collodd ei swydd yn yr ysgol. Llwyddodd i gael gwaith fel gwniadwraig, a rhwng Miss Davies a Gladys yn gadael yr ysgol, teimlai Henriét yn unig iawn. Gan fod y sefyllfa mor ansicr, cafwyd etholiad cyffredinol, ond yr un oedd y canlyniadau, gyda'r Rhyddfrydwyr yn llywodraethu gyda chefnogaeth y Gwyddelod a'r Blaid Lafur. Hen elyn y Syffrajéts, Mr Asquith, oedd y Prif Weinidog o hyd.

Ym mis Ebrill 1911, y sôn mawr oedd y Cyfrifiad a gâi ei gynnal bob deng mlynedd.

"Rŵan 'mod i bron yn 17 oed, fydda i'n cael un i'w llenwi?" holodd i'w thad.

"Pob penteulu sy'n ei llenwi," atebodd Ifan Hughes. "Wedi iddyn nhw gasglu'r holl ffeithiau, mae ganddyn nhw ddarlun go dda o fywydau pawb yn y wlad."

"Ond fyddwn ni ddim yn ei llenwi'r tro hwn," meddai Ann Hughes.

"Pam?" holodd Henriét a'i thad efo'i gilydd.

"Er mwyn dangos cefnogaeth i Frwydr y Merched," meddai Ann. "No Vote, No Census."

Cododd ei gŵr ei aeliau mewn syndod.

"Dwi ddim yn siŵr os ydi gwrthod ei llenwi'n golygu ein bod yn torri'r gyfraith."

"Wel, aberth bach iawn ydi hynny o'i gymharu â be mae eraill wedi ei wneud," meddai Ann gan daenu menyn ar ei thost.

"Mae gan dy fam ateb i bob dim," meddai wrth ei ferch, efo winc. "Dyna ni 'ta – gobeithio y dewch i'm cefnogi yn y llys, gan mai fy enw i sydd arno, fel penteulu."

"Paid ti â phoeni," meddai ei wraig efo gwên. "Mi ddown efo ti at ddrws y carchar."

Edrychodd Henriét ar y ddau'n tynnu coes y naill a'r llall. Mor wahanol oedd yr awyrgylch o amgylch y bwrdd bwyd yng nghartref teulu Gladys!

Pan ddaeth dyn y Cyfrifiad i'r tŷ, Ann Hughes gymerodd yr awenau.

"Mr Hughes ydw i eisiau siarad efo fo, fel y penteulu," mynnodd y swyddog anwybodus.

"Mae arna i ofn y bydd rhaid i chi fodloni arna i," meddai Ann Hughes.

Dechreuodd y swyddog ysgrifennu enw ei gŵr a gofyn a oedd o oddi cartref.

"Mae o'n eistedd yn y parlwr, os ydych chi eisiau gwbod, ac mae o'n credu 'mod i ddigon galluog i ateb eich cwestiynau."

Edrychodd y swyddog yn flin arni.

“Y cwestiwn cynta yw pwy sy’n preswylio yn yr adeilad hwn ar y noson hon?” gofynnodd, gan ddal ei ysgrifbin yn barod i ysgrifennu.

“Dyma’r geiriau dwi am i chi eu sgwennu,” meddai gwraig Mr Hughes, a doedd gan y swyddog ddim dewis ond ufuddhau iddi.

“Os wyf i, Ann Hughes, yn ddigon abl i lenwi’r ffurflen hon, yna yr ydw i’n ddigon abl i bleidleisio. Pleidlais i Ferched !”

“O’r gorau, fedrwch chi ddeud wrtho i rŵan faint o bobl sy’n preswylio yn yr adeilad?” meddai’r swyddog.

Torrodd gwraig Mr Hughes ar ei draws.

“Dwi ddim eisiau deud dim ar wahân i’r hyn rydych chi wedi ei nodi eisoes. Dwi’n gwrthod llenwi’r ffurflen – mewn protest. Nos da.” Ac er mawr syndod i’r swyddog, caeodd y drws.

Brysiodd Henriét i’r parlwr i ddweud yr hanes wrth ei thad. Roedd wedi cynhyrfu.

“Chwarae teg i Mam!” meddai’n falch.

“Pam maen nhw mor gyndyn i adael inni bleidleisio, Tada?”

“Anwybodaeth? Ansicrwydd? Pwy a ŵyr?” atebodd Ifan Hughes. “Maen nhw’n deud nad oes gan ferched y gallu ymenyddol i ddeall sut mae’r Senedd yn gweithio, felly does dim pwynt rhoi’r hawl iddyn nhw bleidleisio. Be sydd ar y poster, dywed – *Convicts, Lunatics and Women* ...”

“Ond siawns nad ydyn nhw’n gweld erbyn hyn fod gwragedd yn gallu deall petha digon cymhleth ... yn enwedig wrth i fwy ohonon ni gael addysg. Mae o’n hollol amlwg fod ganddon ni’r gallu!”

“Dwi’n gwbod hynny, ti’n gwbod hynny, mae dy fam yn gwbod hynny, ac am wn i eu bod nhwthau’n gwbod hynny mewn gwirionedd,” atebodd ei thad, gan daro ei getyn yn erbyn y ffendar. “Rhaid felly bod rheswm arall ... naill ai maen nhw’n fwy cyfforddus i gael Tŷ’r Cyffredin a Thŷ’r Arglwyddi fel clybiau i ddynion, neu y byddan nhw’n wirioneddol yn teimlo dan fygythiad petai merched yn cael grym cyfartal efo nhw. Pwy a ŵyr be sy’n mynd drwy feddwl Tori.”

“Ond tan gwyddon ni beth yw eu dadl, sut fedran ni eu hargyhoeddi?”

“Os nad ydi rhywun yn dymuno cael ei argyhoeddi, fedrwch chi neud dim,” meddai ei thad reit bendant.

“Felly waeth inni roi’r ffidil yn y to, ai dyna dach chi’n ddeud?”

Ysgydwodd ei thad ei ben.

“Nid dyna ddeudais i. Mae rhaid dal ati i bwyso nes bydd y farn gyhoeddus wedi ei newid – ac yna, a dim ond ar y munud ola un – y gwnaiff yr arweinwyr newid eu barn. Nid am eu bod wedi eu hargyhoeddi, ond am fod ei sefyllfa nhw dan fygythiad os na wnawn nhw newid. A hyd yn oed wedyn,

EMILY DAVIDSON

dim ond y newid lleia un fydd o. Y newid lleia posib i sicrhau eu bod nhw'n dal gafael ar eu grym. Dyna'r cwbl ydi politics – grym."

Nid anghofiodd Henriét sylwadau ei thad. Eisteddodd am amser maith ar y soffa yn mwytho'r gath. Byddai'n rhaid iddi holi Gladys yn y bore beth ddigwyddodd yn eu tŷ nhw.

Yn Llundain, ar noson y Cyfrifiad ym mis Ebrill 1911, gwelwyd gwraig yn mynd yn llechwraidd drwy un o ddrysau'r Tŷ'r Cyffredin. Roedd yn ceisio peidio tynnu sylw ati ei hun gan nad oedd merched yn cael eu caniatáu yn y rhan honno o'r Senedd. Doedd y wraig ddim yn ceisio mynd i siambr y Tŷ, nac i unrhyw le o bwys. Byddai'n cael ei lluchio allan yn syth. Ond llwyddodd i agor y drws a chau ei hun yn y stafell leiaf un yn yr adeilad, sef y cwpwrdd brwshys. Doedd hi ddim yn bwriadu defnyddio'r un brwsh o gwbl, na gwneud unrhyw waith glanhau, ar wahân i lanhau'r lle o fudreddi rhagfarn. Caeodd ei hun yn y stafell fechan drwy'r nos, dim ond y hi ar ei phen ei hun bach. Yn y bore, daeth allan o'i gwirfodd. Ond roedd yn ddyddiad arwyddocaol. Pan ddaeth hi'n amser i swyddog ddod i gofnodi manylion Emily Davison ar ffurflen y cyfrifiad, dyma a ysgrifennodd:

'Enw llawn: Emily Wilding Davison.

Lle yr oedd ar noson y cyfrifiad: Fe'i canfyddwyd yn cuddio yn y crypt yn Neuadd Westminster.'

Llwyddodd Emily Davison unwaith yn rhagor. Roedd wedi profi fod modd i ferch gael mynediad i Dŷ'r Cyffredin, a chael hynny wedi ei gofnodi, er ei fod yn gwbl groes i'r gyfraith.

Pennod 18

Ar ddechrau 1911, roedd gobaith mawr fod dydd gwaredigaeth gerllaw. Bron na allech ei arogli. Ac i ganol yr holl obaith gorfoleddus hwn, daeth datganiad y Prif Weinidog. Dwi'n dal i gofio'r effaith a gafodd arnaf. Ers ymaelodi efo'r Syffrajéts, ro'n i wedi teimlo drwy'r amser fod gen i gannwyll olau yn fy llaw, cannwyll gobaith oedd yn f'arwain drwy'r oriau tywyll. Diffoddodd Asquith y fflam honno, a'm gadael mewn tywyllwch dudew. Yn fwy na hynny, syrthiais i'r llawr, a doedd neb i'm codi. Yna clywais sgidiau plismon yn fy nghicio'n ffyrnig yn erbyn fy nghefn, fy mreichiau, a'm coesau. Pe cawn fy nharo ar fy mhen, dyna'r diwedd. Codais, ac wedi i mi sefyll ar fy nhraed, teimlais bwcedaid o ddŵr iasoer yn cael ei lluchio ataf. Dyna effaith datganiad Asquith arnaf.

Ers iddi golli ei swydd, roedd Miss Davies, neu Maude fel roedden nhw wedi dod i'w galw, yn gweithio o'i chartref, ac roedd ei stafell wedi dod yn swyddfa answyddogol i'r mudiad merched. Yma y deuai pawb am sgwrs, i gysodi taflen, i deipio a sgwennu amlenni, i drefnu digwyddiadau. Bob awr ginio, ac wedi iddi orffen yn y gwaith, deuai Gladys o'r siop i helpu. Ac yn y swyddfa honno roedd Henriét pan ddaeth y newyddion am benderfyniad y Prif Weinidog. Ar ffurf telegram y daeth, o'r swyddfa ganolog. Wrth ei ddarllen, fferrodd Maude, a chofiai Henriét syllu arni, a meddwl ei bod wedi cael newyddion am brofedigaeth. Roedd ei hwyneb fel y galchen, a rhuthrodd ati.

"Maude, be sy'n bod?"

Ceisiodd siarad, ond doedd y geiriau ddim yn dod allan. Rhoddodd y telegram yn ei llaw a darllenodd Henriét y geiriau: 'Asquith betrays us – we're out of the Bill'. Doedd o ddim yn cyfleu unrhyw beth iddi.

"Be sydd wedi digwydd?" holodd yn ddryslyd.

"Mae hwn yn waeth na'n hofnau gwaetha, Henriét." Cododd ei phen ac edrych i fyw llygaid ei ffrind. "Dydi merched ddim yn cael eu cynnwys yn y ddeddf o gwbl."

Doedd o'n dal ddim yn gwneud unrhyw synnwyr.

"Fedr o ddim gwneud hynny, Maude, mae'n llais ni'n rhy gryf. Sawl gwaith rydan ni wedi deud – fedran nhw mo'n hanwybyddu."

Sylwodd Henriét ar ei llygaid yn edrych ar y mynydd papurau ar ei desg. Crwydrodd i edrych ar y papurau a'r cylchgronau oedd yn gorchuddio pob bwrdd a chadair yn y stafell. Yna rhoddodd Maude ei phen yn ei dwylo a dechrau crio.

Cafodd Henriét ei dychryn o weld dagrau – Miss Davies, o bawb! Y gryfaf, y dlysaf, a'r fwya penderfynol o'r merched iddi ei hadnabod erioed! Ni wyddai fod Maude yn gallu crio. Ers iddi ei hadnabod, doedd hi 'rioed wedi ei gweld yn flin, neu'n drist neu'n isel ei chalon. Maude oedd yn dal ati pan oedd pawb arall wedi blino, Maude oedd eu gobaith! Teimlai'n hollol ddiffrwyth.

"Maude, peidiwch, da chi."

Rhoddodd ei braich am ei sgwyddau, a dechreuodd Maude udo'n uchel. Doedd Henriét erioed wedi gweld rhywun yn brifo felly o'r blaen. Roedd o'n grio chwerw, yn grio dros ben llestri, yn dor calon.

"Maude, Maude!"

Ac wrth ddal pen Maude ar ei mynwes, teimlo ei gwallt ar ei hwyneb a gwlybaniaeth ei dagrau hallt ar ei grudd, dechreuodd Henriét amgyffred pwysigrwydd y frwydr i ferched fel hon. Roedd wedi ei meddiannu gorff ac enaid, ac roedd y siom yn un enbyd o bersonol a olygai bopeth. Rhoddodd ei hances iddi, a'i siglo 'nôl ac ymlaen i geisio ei chysuro.

Yn raddol, daeth Maude at ei hun, a gallu siarad.

"Mae'n ddrwg gen i, Henriét," meddai gan sniffian. "Dwi'n teimlo'n ddiwerth. Ti a Gladys sydd wedi 'nghadw i fynd drwy sawl awr dywyll. Wn i'm be ddigwyddodd i mi – roedd o mor annisgwyl ... yn gymaint o sioc."

Eisteddodd y ddwy ar y soffa. Roedd golwg ddychrynllyd ar Maude.

"Mae'n amlwg eich bod yn gorweithio; mae'r ddwy ohonon ni wedi deud hynny wrthych."

Cododd Maude ei golygon ac edrych ar y stafell.

"Falle 'mod i, ond sut medra i beidio? 'Mond drwy ddal ati dwi'n gallu cadw 'mhwyll ... Dwi'n teimlo'n euog os dwi'n gwneud rhywbeth arall. Mae 'na gymaint o waith i'w wneud!"

Aeth Henriét i wneud paned iddi, a phan ddaeth yn ôl, roedd dagrau tawel yn disgyn i lawr gruddiau Maude.

"Maude ..." meddai'n dawel.

"Dwi'n teimlo mor chwerw tu mewn. Mae'r gynddaredd yn fy nychryn. Dwi bron â byrstio efo gwylltineb, mae o fel casgliad mawr tu mewn i mi, ac mae'n dechra torri, a'r holl wenwyn yn dod allan i 'ngwaed ..."

Edrychodd ar Henriét.

"Be dwi'n mynd i'w wneud?"

Gafaelodd Henriét mewn clustog a'i osod dan ben ei hen athrawes. Datododd gareiau ei hesgidiau, eu tynnu a chodi coesau Maude ar y soffa. Rhoddodd blanced yn dyner drosti. Roedd nerfau Maude yn rhacs. Doedd ond gobeithio y byddai tipyn o gwsg yn help i leddfu ei gofidiau – dros dro prun bynnag. Arhosodd yn gwmni nes y byddai'n deffro.

Daeth cadoediad y Syffrajéts i ben yn syth. Sgwennodd yr WSPU lythyr at y Prif Weinidog i ddweud bod dirprwyaeth ar y ffordd ddiwedd Tachwedd. Chwe gwaith o'r blaen, roedd Asquith wedi gwrthod cwrdd â dirprwyaeth. Y tro hwn, cytunodd i'w gweld. Dywedwyd wrtho am anghofio'r mesur i gael y bleidlais i ddynion, a rhoi yn ei le fesur fyddai'n parchu dynion a merched. Cafodd Lloyd George yr un llythyr. Ond doedd Asquith heb newid dim.

"Dydyn ni ddim yn fodlon," meddai Christabel Pankhurst ar ddiwedd y cyfarfod.

"Doeddwn i ddim yn disgwyl eich bodloni *chi*," atebodd y Prif Weinidog yn hy.

Beth mae rhywun i fod i'w wneud yn wyneb y fath hyfdra? Be fedr rhywun ei wneud?

Cerddodd y merched allan yn urddasol, a dilyn un o arweinwyr y Syffrajéts, Mrs Lawrence. O'i bag llaw, tynnodd Mrs Lawrence forthwyl bach, a tharo ffenest swyddfa gyfagos

– y Swyddfa Gartref, fel roedd yn digwydd bod. Dilynodd y gweddill ei hesiampl.

Dwi ddim yn credu bod sŵn hyfrytach yn y byd na sŵn gwydr yn torri. Clinc! Ac mae'r cyfan yn deilchion. Clinc! Clinc! Clinc! Mae o'n sŵn hapus efo thinc o orfoledd iddo. Clinc! Mae yna wal denau o wydr yn sefyll rhyngoch a'r gwirionedd ... Clinc! Un trawiad bach, ac mae daeargryn yn digwydd ... Brau ydyn nhw, yn torri ar y trawiad lleia. Does dim angen morthwyl mawr; morthwyl taffi wnaiff y tro, yr union beth i ffitio mewn bag llaw. Mae yna rywbeth benywaidd iawn am y math hwn o forthwyl, bach ... ond penderfynol. Clinc! Clinc!

Clinc! Sŵn hapus iawn yw sŵn ffenestri'n malu.

Y noson honno yng nghanol Llundain, malwyd llawer iawn o ffenestri, ffenestri llefydd pwysig – y Swyddfa Ryfel a'r Swyddfa Dramor, y Bwrdd Addysg, Swyddfa'r Cyfrin Gyngor, y Bwrdd Masnach, y Trysorlys, Somerset House, Clwb Cenedlaethol y Rhyddfrydwyr, sawl swyddfa bost, Banc y London and South Western, a hen neuadd wledda'r Banqueting Hall. Malwyd y ffenestri'n rhacs jibidêrs. Lot o ffenestri, lot o forthwylion a lot fawr o ferched – roedd yn rysáit ddifaol. Yn y diwedd, arestiwyd dau gant ac ugain o ferched, a charcharwyd cant a hanner.

Cofiwch enw un ohonyn nhw'n arbennig – Emily Wilding Davison, yr hogan yn y cwpwrdd brwshys. Fe'i harestiwyd hi ym mis Rhagfyr am roi blwch postio ar dân yn Parliament Street. Yn y llys, rhan o eglurhad Miss Davison am ei gweithred oedd fel protest yn erbyn y ffaith na chafodd fôt i ferched ei gynnwys yn araith y brenin. Ac meddai:

"Roedd hi i fod yn brotest ddifrifol, felly mi ddilynais lwybr difrifol. Mewn protestiadau yn y gorffennol, y cam nesa wedi malu ffenestri yw rhoi pethau ar dân er mwyn tynnu sylw dinasyddion at y ffaith fod y mater dan sylw o gonsyrn iddyn nhw yn ogystal ag i'r merched."

Chwe mis o garchar gafodd y greadures; gwyn ei byd.

Yn Siop Coler Starts, dyma'r pethau a lenwai feddwl Gladys, wrth iddi werthu sanau.

Pennod 19

Amser cinio y diwrnod wedi'r malu ffenestri, canodd cloch Siop Colar Starts, a daeth Henriét i mewn i chwilio am Gladys. Roedden nhw wedi trefnu i gyfarfod, ac roedd Henriét yn llawn cynnwrf. Lawr at y cei yr aeth y ddwy.

"Mae o wedi digwydd, Gladys! Welaist ti'r newyddion yn y papur? Mae'r merched wedi colli amynedd yn llwyr, ac mae ffenestri Llundain wedi eu malu'n rhacs jibidêrs! Mae'n rhyfel agored rŵan!"

Cerdded a'i phen yn ei phlu wnâi Gladys.

"Dwi'n falch iawn. Roedd angen i rywbeth fel hyn ddigwydd," atebodd yn fflat.

"Gladys – be sy'n bod?"

Roedd golwg sobor o ddifrifol ar wyneb Gladys, ac roedd ei meddwl ymhell i ffwrdd.

"Gladys ..."

Ceisiodd Henriét feddwl beth oedd wedi digwydd.

"Ydi Enid yn waeth?" holodd yn betrusgar.

"Does wnelo fo ddim ag Enid," meddai Gladys yn bendant. "'Mhroblem i ydi hi."

"Oes rhywbeth wedi digwydd yn y siop?"

Yn raddol, llwyddodd Henriét i dynnu'r stori o'i ffrind, ond roedd yn broses boenus. Mr Griffiths oedd ar fai; roedd o wedi cymryd at Gladys, er ei fod yn ŵr priod. Ni allai Gladys ei roi mewn geiriau, ond roedd yn amlwg fod y dyn wedi ymddwyn yn amhriodol tuag ati, ac roedd hyn yn achosi'r cywilydd mwya i Gladys.

"Nid dy fai di ydi o!" meddai Henriét yn daer. "Mae be mae o'n ei wneud yn ofnadwy!"

Edrychodd Gladys ar y Fenai'n llwyd yn niwl Tachwedd.

"Weithia, dwi wedi bod yn dod i lawr i fan hyn ar ôl gwaith, a meddwl neidio i'r cei. Jest neidio i'r dŵr a diflannu, ac osgoi'r holl lanast o fywyd sydd gen i ..."

Dychrynodd Henriét.

Edrychodd hithau o'i chwmpas, ar bobl yn mynd a dod wrth wneud eu tasgau bob dydd. Roedd Henriét eisiau gweiddi am help, ond eu problem nhw oedd hyn. Doedd dim modd dweud wrth neb, dyna oedd waetha. A rywsut, ni allai feio Gladys am gael y fath feddyliau. Doedd bywyd gartref iddi ddim yn hawdd, ac os oedd hi'n gorfod goddef hyn yn ystod oriau gwaith, roedd o'n uffern.

"Paid byth â gwneud y fath beth ... addo i mi, Gladys. Os wyt ti'n teimlo felly, tyrd ata i gynta."

Gwenodd Gladys.

"Wna i byth ... dwi'n addo i ti. A wyddost ti be sy'n fy nghadw i fynd? Ti, a Maude, a'r frwydr. A dydi be dwi'n ei oddef yn ddim o feddwl am y merched druan sydd yn y carchar."

Methodd fynd ymlaen.

"Ia ...?"

"Jest bod petha'n mynd yn waeth yn y siop. Dim ond fi oedd yno ben bore, a ddeudodd o wrtho i am fynd i'r stafell gefn ..."

"Ia?"

Caeodd Gladys ei llygaid. "Roedd ganddo esgus, eisiau gweld sut oedd y blowsus newydd yn edrych oedd o ... a dyma fo'n deud wrtho i am dynnu fy mlows ... Dwi ddim eisiau siarad amdano, Henriét."

Roedd wedi mynd i'w gilydd i gyd, a bron na allai Henriét deimlo'r cywilydd ei hun.

"Gladys – edrych arna i. Edrych arna i." Roedd tymer Henriét yn berwi.

Cododd Gladys ei phen.

"Dwyt ti ddim yn mynd yn agos at Siop Colar Starts eto – ti'n deall? Fiw i ti. Os gwnei, bydd hyn yn cario 'mlaen – ac yn mynd yn waeth. Mi wyddost hynny."

Ysgwyd ei phen wnâi Gladys.

"Fedra i ddim fforddio gwneud hynny."

"Mi fedri di – achos os ydi hyn yn cario 'mlaen, mi fyddi mewn llawer gwaeth trwbwl – mi wyddost."

Ond be 'dan ni'n ei ddeud? Mae Mr Griffiths yn flaenor, a fasa bob dim yn dod i'r wyneb, a fedra i ddim goddef gwneud i Mam fynd drwy fwy, a be ar y ddaear fasa 'nhad yn ei wneud? Fedra i ddim!"

Cododd Henriét ei golygon, a gweld y gwylanod yn hedfan uwchlaw. Rhaid bod ateb, roedd yn rhaid iddi feddwl am rywbeth, er y gwyddai ei bod allan o'i dyfnder yn llwyr.

"Beth bynnag, mae hi'n amser i ti fynd yn ôl i'r ysgol."

"Wfft i'r ysgol am y pnawn. Mi awn i weld Maude. Mi fedr hi ein helpu. Ond cyn hynny, dwi am fynd i'r siop fy hun, a deud na fyddi di'n gweithio eto."

"Ond pa esgus fedrwn ni ei roi?"

"Does dim rhaid inni – mi fydd Mr Griffiths yn gwbod yn iawn. Fo fydd rhaid meddwl am esgus."

"Ond be am y cyflog?"

"Mi wna i ofyn am dy gyflog, a mi setlwn ni betha. Mi ddown o hyd i waith arall i ti. Ond dwyt ti byth i roi dy droed yn y siop yna tra byddi di byw – byth eto."

Roedd Henriét wedi synnu at ei phendantrwydd ei hun. Gwelodd y rhyddhad ar wyneb Gladys.

"Mi fydd yna fyrdd o broblemau rŵan, ond mae dy glywed di'n deud hynny fel eli ar fy mriw."

"Ac mae'n rhaid i ti gael gwared o'r cywilydd mae o wedi peri i ti ei deimlo. Mae hyn yn rhan o'r frwydr, Gladys! Dyma be ydi hanfod hawliau merched. Does gan y diawl ddim hawl i gyffwrdd pen ei fys arnat ti!"

"Hisht, Henriét, neu mi fydd y dre i gyd yn dy glywed!"

Wedi addo hyn i'w ffrind, roedd yn rhaid iddi weithredu ar y cynllun. Aeth gyda Gladys i weld Maude, a chafodd ymgeledd yno. Cerddodd Henriét i Siop Coler Starts a rhoi gwybod i Mr Griffiths na fyddai Gladys Williams yn gyflogedig ganddo bellach. Cyndyn oedd o i roi'r cyflog dyledus, ond roedd yr olwg ar wyneb Henriét yn ddigon o rybudd. Dywedodd fod ganddo hawl i drin ei staff fel y mynnai, ond tawelodd pan feiddiodd Henriét awgrymu na fyddai'r Henaduriaeth yn falch o glywed am hynny.

"Feiddiach chi byth, hogan," meddai'n sarrug, "a fydden nhw ddim yn eich coelio."

"Mi fydden nhw, Mr Griffiths, dwi'n siŵr o hynny. Mae'r gwir yn treiddio drwodd yn y modd rhyfedda. Ac mae petha'n newid, credwch chi fi. Faswn i'n ofalus iawn o fy ymddygiad efo 'ngweithwyr o hyn ymlaen, mi fyddwn yn cadw llygad arnoch. Da bo chi."

Roedd Henriét yn ysgwyd wrth gau drws y siop y tu cefn iddi. Rhyw ddwy flynedd ynghynt, roedd gwerthu papur ar y stryd fawr yn gwneud i'w pherfedd hi droi. Bellach, roedd hi'n gallu rhoi perchennog siop yn ei le. Roedd mudiad y merched wedi rhoi dewrder iddi, a'r cryfder i herio anghyfiawnder.

Pennod 20

1912

Mae'n rhyfedd meddwl nad plismon oedd y dyn cynta i guro a chicio Gladys, ond ei thad ei hun. Er i Henriét a Maude feddwl am bob math o straeon i egluro pam roedd ei gwaith yn Siop Coler Starts wedi dod i ben, wnaeth hynny mo'i hatal rhag y gurfa.

Fe'i dyrnwyd yn ei hwyneb, fe'i cicwyd ar y llawr, ac roedd ei chorff yn gleisiau brwnt wedi iddo orffen efo hi. Os oedd hi'n ei gasáu o'r blaen, roedd o'n faw isa'r domen yn ei golwg bellach. Roedd ei mam am iddi adael cartref.

"Mae'n rhaid i ti ddianc o'ma, Gladys. Unwaith mae o wedi dechra, mi wnaiff hyn yn rheolaidd."

"Wna i mo'ch gadael chi, Mam."

"Neith o ddim gwahaniaeth i'r ffordd dwi'n cael fy nhrin. Mae o'n fy mrifo i lot mwy ei fod o'n troi arnat ti. Tasat ti ond yn mynd am dipyn, mi fedrwn dy gael yn ôl wedyn."

"Mi af ar un amod. Lle bynnag ca i waith, mi fydda i'n anfon arian atoch chi. A mi ffeindia i ffordd o'i gael i'ch dwylo chi, fel na fedr O ei ddwyn oddi arnoch."

Yn ffodus i Gladys, gallai Maude gynnig lle iddi am rai nosweithiau, ac ar ddiwrnod pen-blwydd Henriét yn ddeunaw, gwnaeth Maude bryd i'r ddwy, a chafodd y tair noson i'w chofio. Roedd wedi mynd mor hwyr fel y perswadiwyd Henriét hithau i aros efo nhw'r noson honno. Fu dim pall ar y siarad.

"Wyt ti'n siŵr y byddi'n iawn yn cysgu ar y llawr, Henriét?" holodd Maude. Gyda Gladys ar y soffa, doedd fawr o ddewis.

"Siŵr iawn y byddaf," atebodd Henriét. "Nid fod cymaint â hynny o'r nos yn weddill – mae hi'n ddau o'r gloch y bore rŵan!"

"Waeth i ti ddeud fod gen ti hostel i'r digartre yma ddim," meddai Gladys. "Bydd rhaid i mi ganfod cartre – a gwaith – cyn bo hir."

"Bechod na allen ni'n tair fyw efo'n gilydd," meddai Henriét, gan feddwl mor braf fyddai byw efo'i dau hoff berson yn y byd.

"Croeso i chi gael fy ngwely i yr wythnos nesa – dwi'n mynd i Lundain," meddai Maude.

"Fydda i yma fy hun bach," meddai Gladys.

Wrthi'n llenwi'r poteli dŵr poeth oedd Maude, a Gladys yn twtio cyn mynd i gysgu pan ddywedodd Henriét,

"Dwi mor genfigennus eich bod yn cael mynd i Lundain, Maude."

"Dewch efo mi," meddai'n sydyn. "Mae hen ddigon o waith i'w wneud yno ..."

"Sut fydden ni'n talu?" holodd Gladys.

"Mi allwn i ofyn i'r WSPU am gyfraniad," awgrymodd Maude, "tasech chi'n fodlon gwneud wythnos o waith yn y swyddfa – mi fasa fo'n ddefnyddiol iddyn nhw."

Edrychodd Gladys yn sydyn ar Henriét a deallodd hithau'r olwg yn syth, gan deimlo cynnwrf. Un peth a olygai edrychiad felly gan Gladys – antur! Gwenodd yn ôl.

"Dydi'r syniad ddim yn un amhosib," meddai Henriét. "Mae hi'n wyliau hanner tymor ..."

Edrychai Maude ar y ddwy, a'u cynnwrf yn cynyddu. Efallai mai dyna'r union beth oedd ei angen ar y ddwy, Gladys yn arbennig. Gadael y byd cyfyng, cyfarwydd hwn a mentro i dir newydd. Byddai'n sicr yn addysg iddyn nhw gael cwrdd â merched y mudiad a gweld sut roedd y cyfan yn cael ei redeg.

"Maude – fedrwch chi drefnu'r peth?"

"Mae o dipyn yn fyr rybudd, ond beth ydi arwyddair y merched?"

Roedd gwefusau'r tair yn unsain:

"Gyda'n gilydd, does dim byd yn amhosib!"

Gorchuddiodd Gladys ei hwyneb a'i dwylo mewn gorfoledd pur. Roedd hi'n amser maith ers i Henriét ei gweld felly. Hon oedd yr hen Gladys, y ferch feiddgar, ddewr oedd yn fodlon wynebu unrhyw beth. Daeth gofid yn ôl dros ei hwyneb yn sydyn.

"Ond fedra i ddim mynd i Lundain fel hyn! Ddim efo'r cleisiau 'ma drosto i, a'r llygad ddu."

Gwenodd Maude yn drist.

"Y peth digalon ydi nad ydi wynebau felly'n anghyffredin, Gladys," meddai. "Synnet ti gymaint o weithwyr yr WSPU sy'n edrych 'run fath. Boed nhw'n ddoluriau sydd wedi eu hachosi gan wŷr, neu dadau neu fistar neu blismon, yr un ydi'r effaith – dyrnau dynion wedi gwylltio ydyn nhw."

"Ac maen nhw wedi gwylltio am ein bod ni'n ennill grym.

Gladys, dal dy ben yn uchel!" meddai Henriét. "Does gen ti ddim byd i fod cywilydd ohono."

"Dwi'n gwbod hynny, dim ond pitïo ydw i," atebodd Gladys gan edrych ar ei hwyneb yn y drych. "Dwi wedi breuddwydio am gael mynd i Lundain rhyw ddydd, ond nid efo golwg fel hyn arna i."

Wedi penderfynu ar y fath antur, ni fu fawr o awydd cwsg ar y tair.

"Mi fydd yn rhaid inni bacio," meddai Henriét.

"Does gen i fawr i'w bacio," meddai Gladys

"Twt, gei di fenthyg petha gen i, ac mi brynwn y gweddill," atebodd Maude. "Fydd hynny'n ddim problem. Lle ydi'r pella wyt ti wedi bod o'r blaen, Gladys?"

"Llandudno."

"Mi fydd hwn yn antur, felly!" meddai Maude, a syrthiodd i gysgu o'r diwedd efo gwên ar ei hwyneb.

Cyn hir, roedd anadl ysgafn Henriét i'w glywed hefyd wrth iddi gysgu'n drwm. Gladys oedd yr unig un fethodd gysgu o gwbl. Bu ei bywyd ar chwâl yn ystod yr wythnosau dwytha a phrin y gallai gredu'r pethau oedd wedi digwydd iddi. Bellach, roedd rhywbeth cynhyrfus wedi dod i'w byd, ac roedd hwnnw fel taffi melys y gallai ei gnoi am hydoedd.

Roedd Henriét wedi rhoi gwybod i'w mam y byddai'n aros dros nos yn nhŷ Maude, a phan ddaeth adre'r bore wedyn, roedd ei mam eisiau clywed yr hanes i gyd. Wedi iddyn nhw eistedd i lawr dros baned a thrafod y byd a'i bethau, meddai Henriét:

"Mam, dwi eisiau gofyn ffafr fawr i chi – fyddech chi'n

gadael i mi fynd i Lundain efo Gladys a Maude?"

Chwarae teg iddi, wnaeth Ann Hughes ddim gwrthwynebu. Peth mawr mewn bywyd ydi cael mam gefnogol.

"Mi wyddwn, unwaith y byddet ti'n ddeunaw, y byddet eisiau gadael y nyth!" meddai.

Pennod 21

Cyn gynted ag y cyrhaeddodd y tair orsaf drên Euston, roedd Henriét a Gladys wedi rhyfeddu at y sŵn a'r bwrlwm oedd yn llenwi eu clustiau. Dyma nhw yn Llundain o'r diwedd! Roedd ceir a bysiau'n mynd yn ôl ac ymlaen, a phawb ar ei berwyl pwysig ei hun. Wrth iddyn nhw gerdded ar hyd y strydoedd, câi llygaid Henriét eu hudo i bob man. Welodd hi 'rioed y fath amrywiaeth o bethau, ac roedd eisiau amser i weld popeth.

"Tyrd 'laen, Henriét," meddai Maude, "cawn olwg ar ffenestri siopau ryw bryd eto!"

Gwenodd Gladys arni.

"Henriét yn Wonderland!"

Wedi mynd i'r llety, y lle cynta i fynd iddo oedd pencadlys yr WSPU yn Clements Inn. Roedd yn adeilad urddasol, ac yn gartref i'r Pethick-Lawrence, ffrindiau Mrs Pankhurst. Tu mewn, cafodd y tair syndod o weld cymaint o wragedd yn gweithio'n ddiwyd mewn lle mor gyfyng. Felly o'r pwerdy hwn roedd popeth yn digwydd! Roedd pethau wedi eu gwthio i bob twll a chornel, yn faneri, rubannau, polion a deunydd swyddfa. Tynnodd un poster ar y wal eu sylw yn syth: (*Poster 1*)
Nesaf ato, roedd poster symlach: (*Poster 2*)

"Tybed be ydi'r *white slave traffic* 'ma?" holodd Henriét yn dawel.

MAY BE YET NOT HAVE THE VOTE

MAYOR, NURSE, MOTHER,
DOCTOR, TEACHER, FACTORY WORKER

WHAT A

MAN

MAY HAVE BEEN YET NOT LOSE THE VOTE

CONVICT, LUNATIC,
PROPRIETOR FOR WHITE SLAVES,
UNFIT FOR SERVICE, DRUNKARD

(*Poster 1*)

WE WANT THE

VOTE

TO STOP

THE WHITE SLAVE TRAFFIC
THE SWEATED LABOUR
AND TO SERVE THE CHILDREN

(*Poster 2*)

"Pobl fel Mam, dybiwn i," atebodd Gladys yn syth.

Synnai Henriét at faint ei hanwybodaeth, ac roedd ganddi ofn y byddai'r lleill yn canfod hynny. Cadw'n dawel fyddai orau iddi. Bu Maude yn trafod yn ddyfal am dipyn nes i'r wraig ddod at Gladys a Henriét a holi pa fath o waith roedden nhw'n awyddus i'w wneud.

"Rydan ni wedi gwerthu papur pan oedden ni'n ifanc, a mynd i ambell gyfarfod, ond rydan ni'n eitha dibrofiad," eglurodd Henriét.

"Ond mae gynnon ni ddigon yn ein pennau, a 'dan ni'n barod i ddysgu," ychwanegodd Gladys yn frwd.

"Fyddech chi'n barod i sgwennu cyfeiriadau ar amlenni?"

gofynnodd Sarah, a dyna oedd eu tasg gynta.

Doedd o mo'r gwaith mwya chwyldroadol, ond wrth fod o amgylch bwrdd, daeth y ddwy i adnabod rhai o'r merched eraill ac roedd hanesion eu bywydau'n ddifyr – pawb efo'i stori fach ei hun.

Am bedwar o'r gloch, roedd angen iddyn nhw fynd i gyfarfod i drefnu'r wythnos ganlynol, a chanfu Henriét eu bod am ddysgu llawer iawn mewn cyfnod byr. Roedd yn dipyn o her cofio enwau a wynebau newydd, ond cysurodd ei hun mai'r diwrnod cynta fyddai'r un anoddaf.

Wrth adael yr adeilad efo Maude y noson honno, cawsant eu rhybuddio gan Sarah y bydden nhw'n cael eu gwylio.

"Mae'r sefyllfa mor ddifrifol erbyn hyn fel ein bod yn cael ein dilyn yn gyson," eglurodd.

"Pwy fyddai'n ein dilyn?"

"Heddlu cudd. Maen nhw am ddod i nabod y mudiad yn well. Rydyn ni'n hen gyfarwydd â nhw'n mynychu ein cyfarfodydd, ond mae hyn yn dacteg newydd. Peidiwch â throi'r funud hon, ond mae dyn yr ochr arall i'r stryd yn cadw llygad arnon ni."

"Sut gwyddoch chi?"

"Rydych yn dod i'w nabod. Rydan ni'n cadw llygad arnyn nhw ag maen nhw'n cadw llygad arnon ni. Fedran nhw mo'n trechu," meddai efo winc.

"Dydi o ddim yn fywyd hawdd, nac ydi?" meddai Gladys yn ddwys.

"Dwi'n ystyried fy hun yn ffodus. Os ydych chi ar yr ochr yma i furiau carchar, does gennym ni ddim hawl cwyno."

"A beth sy'n eich cadw i fynd?" holodd Henriét.

"Styfnigrwydd, dim byd arall," atebodd, gyda gwên lydan.

Dros y ddeuddydd nesaf, tra oedd Maude yn gwneud y tasgau oedd yn rhaid iddi, bu Henriét a Gladys yn brysur yn sgwennu amlenni, gwerthu'r papur am awr neu ddwy, neu'n ymuno efo'r criw o flaen carchar Holloway yn cerdded yn ôl ac ymlaen wrth y fynedfa efo placard 'Votes for Women' arno. Yn ystod y cyfnod hwn, daeth y ddwy i adnabod wynebau newydd rif y gwlith, yn bob math o ferched gwahanol, ond gydag un nod yn eu huno.

"Dwi fel taswn i wedi dod i wlad newydd," meddai Gladys un bore, wedi iddyn nhw fod yn cerdded o flaen giatiau'r carchar am awr.

"Rwyt ti wedi," meddai Henriét. "Mae Cymru'n wlad wahanol i Loegr."

"Cyfandir gwahanol 'te," cywirodd Gladys ei hun, "ond dwi'n teimlo'n fwy cartrefol yma."

"Be wyt ti'n ei feddwl?"

"Dyma fyddai'r byd delfrydol 'te? Merched yn flaenllaw, ac yn gallu gwneud petha drostyn nhw eu hunain. Mae'n rhoi hyder i ti, a 'dan ni'n cael ein gwthio i drio petha newydd. Mae'n dy ddychryn i ddechra, wedyn 'dan ni'n canfod nad ydi o mor anodd â hynny. Edrych lle ydan ni – o flaen Holloway! A 'dan ni'n siarad mwya hamddenol, heb ofn yn y byd."

"Mi fydda gen i ofn dychrynllyd bod yr ochr arall i'r muriau," meddai Henriét. "Ac mae'r merched eraill yn nabod y merched sy'n garcharorion. Mae'n hynny'n ei wneud yn waeth."

"Maen nhw'n dechra canu – tyrd."

Ac er nad oedden nhw'n gyfarwydd â'r geiriau, roedden nhw wedi dysgu'r dôn:

'Long, long, we in the past,
Cowered in dread from the light of Heaven,
Strong, strong, stand we at last;
Fearless in faith and with sight new given.
Strong with its beauty, life with its duty
(Hear the voice, Oh hear and obey).
These, these beckon us on,
Open your eyes to the blaze of the day!'

Wrth iddyn nhw gerdded yn ôl ac ymlaen, deuai merched eraill atyn nhw a sibrwd yn eu clustiau. "Dewch â'ch morthwylion heno" – dyna'r unig beth y sibrydodd y wraig yng nghlust Henriét. Dychrynodd Henriét, ac roedd eisiau egluro iddi, "Nelo fo ddim â mi! Ladi fach Gymreig ydw i, a dwi ddim i fod i wneud petha fel hyn!" Ond wrth iddi glywed geiriau'r gân, gwyddai nad oedd ganddi hawl i ddefnyddio esgusodion tila felly. Ladi fach o rywle ydoedd pob un o'r merched hyn, a phetai pawb mor llwfr â hi, fyddai dim yn digwydd. O'r eiliad honno, gwyddai fod y noson honno am fod yn un fawr yn ei hanes, a doedd dim troi'n ôl. Oedd, roedd hi'n crynu wrth feddwl am y peth, ond roedd yn rhaid ei wneud.

"Glywaist ti neges y gwragedd?" holodd Gladys, wedi cynhyrfu'n lân. "Lle ca i afael ar forthwyl?"

"Does gen ti ddim ofn?"

"Dwi'n crynu fel jeli, ydw, ond o'r diwedd, dyma ein cyfle i wneud rhywbeth! Dwi wedi cael digon ar sgwennu amlenni, dwi eisiau gwneud rhywbeth go iawn!"

"Siawns na gawn ni fenthyg rhai gan rywun – wyt ti'n meddwl y daw Maude efo ni?"

"Dwi ddim yn ei gweld yn cadw draw, a gadael inni weithredu ein hunain!" atebodd Gladys.

"Mae yna gyfarfod heno i groesawu'r carcharorion sy'n cael eu rhyddhau," eglurodd Sarah. "Mae rhai ohonyn nhw wedi bod dan glo ers Tachwedd dwytha. Mi fydd Mrs Pankhurst yn siarad yno. Ddowch chi?"

"Faswn i ddim yn colli'r cyfle i glywed Mrs Pankhurst am bris yn y byd," meddai Gladys.

Daeth Maude efo'r ddwy i'r cyfarfod, ac roedd y neuadd y noson honno dan ei sang. Wrth i wraig ganol oed ddod i'r llwyfan, aeth pob man yn dawel. O'i hosgo, roedd yn hawdd gwybod ei bod yn arweinydd. Safodd yn llonydd am dipyn yn edrych ar y gynulleidfa, yna dechreuodd siarad. Siaradai'n urddasol, efo awdurdod rhywun wedi hen arfer. Daliai ei phen yn uchel, ac roedd wedi ei hargyhoeddi'n llwyr o gyfiawnder ei hachos. Yn ddwfn iawn ynddi, roedd ymdeimlad o gam, o hen hen archoll, a doedd hi ddim am guddio hynny.

"Pam y dylai merched fynd i Sgwâr y Senedd i gael eu taflu o gwmpas a'u camdrin a'u gwatwar? Rydym wedi trio ers cyhyd. Rydyn ni wedi cael ein gwaradwyddo am amser maith. Mae ein hiechyd wedi dioddef. Mae rhai merched wedi colli eu bywydau yn y drin. Fyddai dim cymaint o ots petai'r frwydr wedi ei hennill, ond ddaru hynny ddim llwyddo. Rydym wedi gwneud mwy o gynnydd, a llai o loes i ni'n hunain drwy dorri gwydr nag a wnaethom erioed wrth adael iddynt dorri ein cyrff."

EMILY PANKHURST

Edrychodd Henriét ar Gladys yn gwrando ar Mrs Pankhurst. Roedd hi fel petai wedi ei chyfareddu'n llwyr. Roedd yn canolbwyntio ei holl egni ar wrando ar y wraig hynod, ac yn amneidio pob yn ail gair.

"Onid ydi bywyd gwraig yn fwy gwerthfawr na chwarel o wydr? Ac yn fwy gwir fyth, oni chaiff torri gwydr fwy o argraff ar y Llywodraeth? Os ydych yn ymladd brwydr, dylech wybod pa arfau yw'r rhai gorau i'w defnyddio. Mi rown ni gynnig y tro hwn ar daflu cerrig."

Aeth si o gynnwrf drwy'r dorf.

"Mi aiff i drwbwl am ddeud hyn," sibrydodd Gladys.

"Mae hi mewn trwbwl dros ei phen a'i chlustiau'n barod," meddai Sarah.

"Beth sy'n digwydd nesa?" holodd Henriét wrth Maude.

"Mi gawn ni ein harwain, paid poeni."

Ac er mai ar Fawrth 4ydd, 1912, roedd y Brotest Fawr wedi ei threfnu a'i hysbysebu, ar Fawrth y 1af y digwyddodd y gweithredu, heb i'r heddlu gael rhybudd o gwbl.

Gyrrodd un o'r merched gar efo Mrs Pankhurst ynddo at rif 10 Downing Street, daethant allan a lluchiodd y merched gerrig a malu'r ffenestri. Cawsant eu harestio'n syth, a'u cymryd i Swyddfa'r Heddlu yn Cannon Row. Dim ond y dechrau oedd hynny. O fewn chwarter awr, syfrdanwyd pobl a'r heddlu wrth i wydr gael ei falu yn Haymarket a Piccadilly. Arestiwyd sawl merch, a thybiodd y Ddinas mai dyna oedd diwedd y mater. Ymhen chwarter awr arall, wedi i'r merched gael eu hebrwng i Swyddfa'r Heddlu, malwyd rhagor o ffenestri yn Regent Street a'r Strand. Ymaith â'r heddlu i arestio mwy o wragedd, ond wrth i'w sylw ganolbwyntio ar y criw yna, fe glywyd sŵn cyfarwydd gwydr yn cael ei falu yn Oxford Circus a Bond Street.

I siopwyr cyffredin, roedd y peth yn ddychryn llwyr. Mewn eiliad, roedd cerrig wedi eu lluchio drwy baneli mawr o wydr, a hwnnw'n tasgu i bob man. Ceisiodd y bobl warchod eu pennau, ond dros y ffordd, gwelwyd ffenestri eraill yn cael eu malu'n ufflon. Dechreuodd rhai sgrechian; doedd wybod pa ffenest fyddai'n ffrwydro nesaf. Clinc! Bang! Roedd yn anodd credu'r peth. CRAC! Ac roedd y peth yn dechrau eto – roedd yn ddiddiwedd.

Anodd oedd gweld pwy oedd wrthi. Oni bai eich bod yn gweld merch yn hyrddio carreg at ffenest, roedd yn amhosib canfod pwy oedd y gweithredwyr. Llamai heddlu am eu hysglyfaeth, ac yn aml, byddai'r cyhoedd yn penderfynu ei tharo yn ogystal. Chwythai'r heddlu eu chwibanau, gwaeddai'r dorf, rhuthrai pobl o amgylch yn wallgof. Ond gyda'r holl wydr dan draed, roedd yn berygl mynd i unrhyw le. Diffoddwyd y golau yn llawer o'r siopau, ceisiai eraill amddiffyn eu ffenestri gyda phren, a daeth heddlu ar gefn ceffylau i geisio cadw rhyw fath o drefn ar bawb.

Pan gafodd yr heddlu gyfle i weld pwy oedd yn eu celloedd, roedd dau gant o ferched wedi eu harestio'r noson honno mewn gwahanol swyddfeydd heddlu ar draws y ddinas. Roedd ambell enw amlwg yn eu mysg, megis y gyfansoddwraig Dr Ethel Smyth a oedd yn enwog drwy Ewrop. Yn ffodus i Henriét a Gladys, chawson nhw mo'u dal, a llwyddodd y ddwy i ymdoddi i'r dorf – ond nid cyn lluchio carreg eu hunain, a malu ffenest yn rhacs.

Pan ddaeth yr achosion llys, roedd yn rhaid i'r ddwy gael

bod yn yr oriel i wrando ar areithiau'r merched dewr. Meddai un:

"Fe ddaru ni drio pob ffordd, ond yn ofer. Wedi'r gorymdeithio, dyma droi at falu ffenestri. Dwi'n gofidio na ddaru mi lwyddo i falu rhagor. Dwi ddim yn edifar o gwbl. Mae ein merched yn gweithio dan amodau llawer gwaeth na'r glowyr. Rydw i wedi gweld gweddwon yn ymdrechu i fagu eu plant. Dim ond dau o bob pump dyn sy'n ffit i fod yn soldiwr. Pa werth sydd i wlad o'r fath? Mae Lloegr mewn cyflwr dybryd. Un safbwynt yn unig sydd gennych chi, a hwnnw ydi safbwynt dyn. Mae dynion yn gwneud eu gorau, ond fedran nhw ddim mynd yn bell heb y gwragedd. Rhaid i ferched gael yr hawl i bleidlais!"

"Pam mae'n cyfeirio at y glowyr?" holodd Henriét wrth Sarah.

"Am eu bod yng nghanol streic chwerw iawn," atebodd Sarah, "ond dydi'r Llywodraeth ddim yn eu harestio fel y maen nhw'n arestio merched. Yn hytrach maen nhw'n trio cymodi efo nhw."

Atgoffwyd y Fainc o hyn, fod un rheol i ddynion ac un arall i ferched, ond wnaeth o ddim iot o wahaniaeth. Dedfrydwyd y mwyafrif ohonyn nhw i ddau fis o garchar. Dau fis – am falu ffenest!

Arhosodd y noson honno yng nghof Henriét a Gladys trwy gydol eu bywydau. A phob tro wedyn, pan glywent sŵn gwydr yn torri, roedd o'n dwyn atgofion o'r noson wallgof honno yn Llundain pan dorrwyd cymaint o ffenestri'r ddinas.

Pennod 22

Er i Ann Hughes roi'r argraff i'w merch ei bod yn hapus iddi fynd i Lundain, ni pheidiodd â phryderu amdani am wythnos gron gyfan. Roedd Henriét yn ofni mai fel hyn y byddai.

"Os oes gennych chi amser ar eich dwylo, ewch i weld Casia," dywedodd wrth ei mam. "Mi fyddai'n rheitiach i chi boeni am y greadures honno nag eistedd adra yn poeni amdana i."

Nid oedd Ann Hughes wedi arfer mynd i'r rhan arbennig honno o'r dref, a doedd hi'n adnabod neb oedd yn byw yno. Ond roedd Henriét wedi adrodd yr hanes sut roedd plant y dref wedi bod yn gwawdio'r hen wreigan, ac roedd y stori wedi ei chyffwrdd i'r byw.

Os oedd Ann Hughes yn honni bod yn Gristion, yna roedd yn ddyletswydd arni fynd i ymweld â'r hen wraig.

Curodd ar y drws ond doedd dim ateb. O'r diwedd, daeth gwraig drws nesa i'r golwg.

"Eisiau gweld Casia dach chi? 'Mond mynd i mewn sydd eisiau – dydi'n clywed dim, a dydi'r hen greadures ddim hanner da."

"Diolch yn fawr i chi," meddai Ann, ond roedd y wraig wedi diflannu. Yr unig beth a welodd oedd plentyn bach yn edrych yn ofnus arni drwy gil y drws.

Gwthiodd y drws, a chamu dros y trothwy i'r stafell leiaf, dywyllaf a welodd yn ei bywyd. Wedi i'w llygaid gynefino â'r diffyg golau, gwelodd yr hen wreigan yn ei chwman ar stôl ger y tân. Doedd dim tân yn y grât, ac roedd y lleithder yn dangos nad oedd fawr o wres wedi bod yn y tŷ ers talwm.

"Casia?"

Estynnodd llaw Casia at y procer gerllaw.

"Pwy dach chi?"

"Dydach chi ddim yn fy nabod i ... Mam Henriét ydw i ... roedd hi'n deud iddi eich hebrwng chi adra rhyw bnawn pan oedd hogia drwg yn eich plagio."

"Lle ma'r diawlad?" gofynnodd Casia druan, a'i llygaid yn llawn dychryn.

"Does 'na'm hogia drwg, Casia. Fi sydd wedi dod â 'chydig o sgons i chi – meddwl fasach chi'n lecio eu cael nhw."

"Faint ydyn nhw?"

"Dim byd, 'mond eisiau eu rhoi nhw i chi ydw i."

"Rhowch nhw ar y bwrdd. Dydw i ddim hanner da," meddai Casia, ac yn amlwg, doedd hi 'mhell o fod yn iach.

Wrth osod y plât o sgons ar y bwrdd bach, gwelodd Ann nad oedd dim siâp o gwbl ar y gegin. Mi fyddai eisiau pnawn cyfan i ddod â'r lle i drefn. Ni wyddai beth i'w wneud.

Pesychodd Casia yn hegar, a chwiliodd Ann Hughes am wydr i roi diod o ddŵr iddi.

Canfu un yn y diwedd, ac aeth i eistedd ati.

"Casia, mae'n rhaid i chi gael help – fedrwch chi ddim bod yn fan hyn eich hun. Be ga i wneud?"

"Fydda i'n iawn mewn dim. Does dim yn para rhy hir, dwi'n ddynes gref."

"Nid fel rydach chi rŵan. Dydi peswch felly ddim yn swnio'n dda."

"Os bydda i farw, fydda i ddim trafferth i neb. Sori na fedra i gynnig paned i chi."

"Mae Henriét yn Llundain."

"Un glên ydi Henriét. Mi nath dro da efo mi. Pwy ddeudsoch chi oeddach chi?"

"Ei mam hi. Henriét ddeudodd wrtho i am ddod i edrych amdanoch."

"Un dda ydi. A wyddoch chi pwy arall sy'n un da?"

"Pwy?"

"Lloyd George. Un da ydi fynta," meddai Casia, fel tasa hi'n sôn am ddyn drws nesa.

"'Blaw amdano fo, faswn i'n y wyrcws."

"Ydach chi'n cael eich pensiwn, felly?"

"Ydw, ond fel arall, faswn i'n y wyrcws, a faswn i'm yn mynd yn agos at fan'no."

"Na fasach?"

Ysgydwodd Casia ei phen.

"'Im peryg yn y byd. Fan'no fuodd Mam druan farw," a phesychodd yn arw drachefn.

Yn y cwta hanner awr y bu Ann Hughes yn nhŷ Casia, dysgodd fwy am amgylchiadau pobl dlawd nag a ddysgodd erioed. Roedd o'n wir fod dwy gymdeithas yn bodoli yn y dref ochr yn ochr, ac nad oedd gan un hanner y syniad lleiaf sut oedd yr hanner arall yn byw. Oedd, roedd Lloyd George wedi gwneud peth da yn cael Pensiwn Gwladol, ond roedd angen gwneud llawer mwy. Pethau fel hyn âi drwy ei phen wrth iddi gerdded adre.

Fel roedd hi'n croesi'r Maes, gwelodd ddyn ifanc yn gwenu arni, a sylweddoli mai Aneurin Edwards oedd o. Daeth draw i'w chyfarch ac eglurodd Ann fod ei merch wedi mynd i Lundain am wythnos.

"Ro'n i'n meddwl ei bod yn dawel yn y lle 'ma," meddai efo gwên. "Miss Davies yn ei harwain ar gyfeiliorn, debyg?" Gwelodd y pryder ar wyneb y fam, a sylwi ei fod wedi cymryd y mater yn rhy ysgafn.

"Mae'n ddrwg gen i, Mrs Hughes, mae'n siŵr eich bod yn poeni ..."

"Ifanc ydi'r ddwy," meddai Ann, "ac maen nhw mor danbaid ... Glywsoch chi am Gladys?"

"Naddo."

"Cafodd ei churo'n frwnt gan ei thad, ac mae wedi gadael cartre. Wedi symud at Miss Davies am gyfnod, ac wedi rhoi'r gorau i'w swydd yn y siop – roedd hi'n cael ei chamdrin gan y perchennog ..."

"Gladys druan, ac mae'n ferch alluog. Ro'n i'n ddig ei bod wedi gadael yr ysgol."

"Gwneud hynny er mwyn ei mam druan wnaeth hi."

"Tydi Gladys ddim wedi cael cyfle mewn bywyd ... Mrs Hughes, peidiwch ag edrych mor bryderus. Mae yna dân yn Gladys, a chymeriad mawr. Mi ddaw drwyddi."

"Nid dyna sy'n bod, Aneurin. Newydd fod yn nhŷ Casia ydw i, yn Ty'n Pwll ... ac roedd y greadures mor sâl. Henriét oedd wedi gofyn i mi alw, a finna'n mynd â rhwbath bach iddi, ond mae'r hen wreigan angen llawer mwy o help na phlatiad o sgons."

"Ylwch, Mrs Hughes, mi gerdda i adra efo chi, rydych

chi'n llawn eich trafferthion heddiw." Ac yn wir, dyna'r peth gorau y gallai fod wedi ei gynnig. Wyddai Ann Hughes ddim pam roedd wedi bwrw ei gofidiau ar y gŵr ifanc nad oedd prin yn ei adnabod, ond roedd o wedi gwrando arni, ac roedd o mor glên. Wedi cyrraedd ei thŷ, diolchodd iddo, a ffarwelio.

"Dwi'n teimlo'n llawer gwell, Aneurin. Diolch i chi – a galwch yma wedi i Henriét ddod yn ôl i chi gael yr hanes. Wn i ddim beth oedd yn bod arna i pnawn ma."

"Gewch chi ambell ddiwrnod felly – mae pawb yn eu cael."

"Ond dwi'n methu peidio meddwl am Casia druan."

"Dyna pam rydan ni'n brwydro, 'te, am fyd gwell i Casia a Gladys, a mam Gladys. Mae yna gymaint o ddioddefaint ym mhob cyfeiriad ... Ond waeth inni heb â thorri'n calonnau."

Roedd o'n llygad ei le. Doedd anobeithio'n help i neb. Ond roedd cael rhannu'r baich â rhywun arall yn gwneud byd o wahaniaeth.

Pennod 23

Bu'r wythnos gafodd Henriét a Gladys yn Llundain yn goleg ynddo'i hun. Un o'r pethau ddysgodd y ddwy ei wneud oedd reidio beic. Doedden nhw erioed wedi cael y cyfle i wneud adre; bechgyn yn unig fyddai'n berchen beic. Ond yn Llundain, hon oedd y ffordd rataf i fynd o un lle i'r llall, ac roedd yn gyfrwng hwylus i'r Syffrajéts. Golygfa gyfarwydd yn y swyddfa oedd merch anabl efo cerbyd tair olwyn.

"Rosa May ydi hi," meddai un o'r merched, pan holodd Henriét amdani, "cymeriad a hanner, neu Miss Billinghurst i'r awdurdodau."

"Dwi'n siŵr i mi ei gweld ar y noson pan falwyd y ffenestri."

"Oedd, roedd hi yno. Does dim llawer o betha'n digwydd heb i Rosa fod yn rhan ohono."

Syllodd Henriét ar y wraig a rhyfeddu at ei phenderfyniad.

"Byddai rhywun yn meddwl fod ganddi ddigon o ofid ar ei phlât yn barod, heb ddisgwyl iddi frwydro dros hawliau merched."

"Dyna pam mae'n brwydro – mae wedi gweld mor anodd y gall bywyd fod iddi'n anabl, heb sôn am ddioddef rhagfarn am ei bod yn ferch."

Y bore olaf yn y swyddfa, daeth Sarah atyn nhw a dweud bod Miss Barrett, un o'r prif drefnwyr, eisiau gair efo nhw. Yn teimlo'n nerfus iawn, aeth Henriét a Gladys i'w stafell. Oedden nhw wedi gwneud rhywbeth o'i le? Oedden nhw am gael cerydd ganddi?

"Helô, wi'n falch o'ch gweld," meddai Rachel Barrett, yn Gymraeg.

"Cymraes ydych chi?" meddai Henriét mewn syndod.

"Ie, o Landeilo wi'n dod. Mae sôn mawr wedi bod am y ddwy Syffrajét o Gymru, ac ro'n i'n benderfynol 'mod i'n cael eich cyfarfod cyn i chi fynd."

"Faswn i wrth fy modd yn aros," meddai Gladys, "os gallwch chi wneud efo rhywun ychwanegol, mi fyddwn yn fwy na pharod. Rydym wedi dysgu cymaint ers dod yma."

Gwenodd Rachel.

"Wi'n falch o glywed 'ny, ond mae 'da ni waith penodol i chi – 'nôl yng Nghymru."

"Tawel ydi petha yno," eglurodd Henriét. "Y peth brafia am fod yn eich plith yn Llundain ydi ein bod wedi cael teimlo'n normal am dipyn. Nid 'y ddwy hogan eithafol' ydyn ni yma, ond rhan o'r chwaeroliaeth."

"A bydd croeso i chi ddod yma'n gyson, peidiwch â phoeni," meddai Rachel, "ond am fod cyn lleied ohonoch yng Nghymru, dyna pam mae'r gwaith sydd 'da ni ar eich cyfer mor bwysig."

Edrychodd y ddwy ar ei gilydd.

"Beth sydd gennych chi mewn golwg?" holodd Gladys yn bryderus.

"Rydych yn byw yn etholaeth bwrdeisdref Caernarfon?"

"Ydym."

"Felly'n gyfarwydd â Lloyd George?"

Nodiodd y ddwy. Lloyd George, fel y Canghellor, oedd y

Cymro enwocaf yn ei ddydd.

"Nid Lloyd George yw ffrind penna'r Syffrajéts," meddai Rachel. "Felly mae 'da ni raglen reit brysur i'w ddilyn e o fan i fan yn torri ar ei draws. Yr hyn sy'n anodd yw cael rhai i wneud hynny pan mae e 'nôl yng Nghymru. Fydde 'da chi ddiddordeb yn y gwaith hwnnw?"

Lloyd George! meddyliodd Henriét. Ers Cyllideb y Bobl, roedd o'r peth agosa at dduw yn Sir Gaernarfon. Roedd pobl yn ei addoli. Heclo Lloyd George fyddai'r ffordd gynta o wneud eu hunain yn arbennig o amhoblogaidd, a hynny yn eu tref eu hunain.

"Mae gan bobl dipyn o barch ato yn Sir Gaernarfon," eglurodd Henriét.

"Wi'n gwbod."

Edrychodd Henriét ar Gladys ac ochneidio.

"Fydd hi ddim yn hawdd ..." aeth Henriét yn ei blaen. Meddyliodd am y llun mawr o Lloyd George mewn ffrâm ar wal y parlwr yn ei chartref.

"Wi'n gwbod. Ond fe ydi'r targed pwysica ar ôl Asquith."

Edrychodd Henriét ar Gladys eto.

"Oes 'na rywun i'n helpu?" holodd Gladys.

"Rhan o'ch gwaith fyddai canfod rhai i'ch helpu ... does 'da ni ddim cymaint â hynny o filwyr yn y pen 'na o'r byd. Bydd Maude wrth law drwy'r amser, wrth gwrs."

Edrych ar ei thraed wnaeth Henriét, ac ni wyddai beth i'w wneud. A dweud y gwir, roedd ganddi gywilydd ohoni ei hun. Dros y dyddiau dwytha, roedd wedi rhoi ei hun gorff ac enaid i'r frwydr, a rŵan roedd sôn am wneud yr un peth adre'n codi dychryn arni.

"Pa mor anodd fyddai o?"

Amhosib, meddyliodd Henriét. Ni wyddai sut y byddai ei rhieni, hyd yn oed, yn ymateb i'r cynllun.

"Ti'm yn perthyn iddo, nag wyt?" gofynnodd Gladys, efo gwên. Trodd at Rachel. "Mae'r rhan fwya'n deud bod nhw'n perthyn rywsut i Ddewin Dwyfor."

"Nac ydw," atebodd Henriét, "ond dwi'n gwaredu'r syniad o ymgyrchu yn ei erbyn."

Wrth feddwl am sut ro'n i yn Swyddfa'r WSPU yr adeg honno, mor ddibrofiad, mae hanner ohonof yn pitïo fi fy hun, a'r hanner arall yn gwaredu sut wnes i ymateb. Llwfdra oedd o, llwfdra hunanol, ond megis dechrau ar fy nhaith ro'n i. Roedd parchusrwydd Arfon yn dal yn bwysig i mi, rhyw syniad hurt yn fy mhen y gallai bywyd fod yr un fath, y gallai normalrwydd barhau i fod yn opsiwn ...Y gallwn gadw cysuron cartref a bod yn rhan o frwydr y Syffrajéts. Ffŵl oeddwn i. Roedd Gladys eisioes wedi gweld ymhellach.

"Fyddan ni ddim ar ein pen ein hunain bach, Henriét, ddim efo Maude."

"A mi fyddwn ninnau'n gefn i chi," meddai Rachel yn siriol. "Paid ag edrych mor bryderus, Henriét, fel tasa hi'n ddiwedd y byd. Y prif beth fydd eisiau i chi ei wneud fydd casglu gwybodaeth. Mae 'da ni ferched ar gael fydd yn fodlon teithio i Gaernarfon. Ond heb ferched lleol i gadw trefn ar ein symudiadau, fedrwn ni ddim cyflawni llawer."

Cofiodd Henriét yn sydyn am Rosa a'r beic tair olwyn. Doedd cael polio'n blentyn a methu cerdded ddim wedi bod yn hawdd iddi hi, ond wnaeth hynny mo'i rhwystro. Doedd trafferthion Henriét yn ddim o'u cymharu â rhai Rosa.

"Mi rown gynnig arni," cytunodd Henriét, yn simsan. "Jest basa hi'n haws tasa fo'n rhywun ar wahân i Lloyd George. Dwi wedi fy magu mewn cartre sy'n ystyried mai un ohonon ni ydi o, a'i fod wedi dringo i swydd uchel iawn, a'i fod yn ddyn o egwyddor."

"Gan 'mod i'n dod o Gymru, wi'n deall," meddai Rachel. "Ond mae Lloyd George yn chwarae'n gryf ar y ddelwedd hon ohono'i hun. Eto, os cychwynnodd e'n ŵr reit radical, mae e wedi symud yn o bell o'i wreiddiau. Un peth yn unig sydd ar frig rhestr Lloyd George, a Lloyd George yw hwnnw."

"Mi fu yn gefnogol i achos y merched ..." mynnodd Henriét.

"Ond mae e wedi canfod fod e'n well i'w yrfa fod yn ein herbyn," eglurodd Rachel. "O leia mae Asquith yn ein herbyn am ei fod e'n credu bod hawliau i ferched yn gwbl anghywir. Mae Lloyd George yn chwarae gêm hollol wleidyddol."

"Sut gallwch chi fod mor siŵr?" holodd Henriét.

"Fi? Am 'mod i wedi siarad ag e wyneb yn wyneb," atebodd Rachel.

Cododd Henriét ei haeliau.

"Gawson ni ein gwadd i Dŷ Newydd, i'w gartre yn Llanystumdwy ger Cricieth – fi a merched o'i etholaeth. Dwy awr a hanner fuon ni rownd bwrdd yn dadlau am y mater."

"A beth ddigwyddodd?" holodd Gladys.

"Dim, gallwch fentro. 'Dewin Dwyfor' myn jawch! Mae e'n ddewin 'da geiriau, ond wnaeth e mo 'nhwyllo i, na gweddill y merched."

"Mae o'n llwyddo i swyno'r rhan fwya o ferched," meddai Gladys.

"Wel, mi ddiflannodd y swyn yn go sydyn yn yr achos hwn. Chawn ni ddim byd ganddo."

"Pam?" gofynnodd Henriét. "Dwi ddim yn deall. Pam na fedr dyn fel Lloyd George roi'r fôt i ferched?"

"Fe allai, ond fydde hynny'n golygu na fyddai'n Brif Weinidog. Ac mae hynny'n ormod o bris i'w dalu."

"Rhowch fy enw i i lawr," meddai Gladys yn benderfynol. "Un peth fedra i mo'i oddef ydi dynion hunanbwysig!"

Nid dyna'r tro cynta i Henriét fod yn eiddigeddus o Gladys am ei gallu i weld pethau'n ddu a gwyn.

Pennod 24

Anodd oedd setlo yn ôl i fywyd adre wedi'r wythnos yn Llundain. Dychwelyd i fyw efo Maude wnaeth Gladys, ond roedd trio cael swydd yn anobeithiol. Roedd y ddwy wedi cael enw o fod yn ferched trafferthus, ac roedd digon o ferched eraill ar gael i wneud pob math o swyddi. Dechreuodd Maude wneud addasiadau i'w llety fel gallai Gladys aros yno am gyfnod tymor hir. Doedd Gladys ddim yn cuddio'r ffaith mai yng nghanol y berw yn Llundain y carai fod, ond roedd y mudiad wedi dweud mai yn Sir Gaernarfon oedd ei lle.

Soniodd Ann Hughes ei bod wedi gweld Aneurin a'i bod wedi ei wadd i de wedi i Henriét ddod adre, ond doedd gan Henriét ddim diddordeb yn hynny. Fe'i gwelodd yn y dref a threfnu i gael sgwrs ag o mewn caffi. Ni fyddai Henriét wedi breuddwydio cael paned efo dyn yn gyhoeddus rai misoedd ynghynt, ond doedd dim ots ganddi bellach.

"Mae wythnos yn Llundain wedi gwneud lles i ti, mae'n amlwg," meddai Aneurin. "Be gymri di? Os gelli oddef caffi cyffredin Cymreig ..."

Gwenodd Henriét, ac edrych ar y fwydlen.

"Paned o de a tharten fala fyddai'n dda."

"Hufen?"

"Pam lai?" atebodd, gan deimlo'n braf ei bod yn ôl yng

nghwmni ffrind, a digon o newyddion i'w rannu. "Mae hi'n braf bod adra hefyd, chwarae teg. Mae byw yn Llundain fel bod ar ryw hyrdi-gyrdi dragwyddol."

Daeth y weinyddes at y bwrdd, a rhoddodd Aneurin yr archeb.

"Ond chredet ti ddim mor gynhyrfus oedd popeth, Aneurin. Mi fyddet wrth dy fodd yno ... Gweithio am ein cadw roedden ni, torchi'n llewys yn swyddfa'r WSPU. Clamp o adeilad, a merched wrthi'n ddygn, pawb yn rhoi o'u gorau."

"Roedd o'n newid braf i Gladys, druan. Soniodd dy fam sut roedd ei thad wedi ei churo."

"Mae ei chleisiau'n llawer llai amlwg erbyn hyn. Mae hi ar dân eisiau mynd yn ôl yno!"

"Pam nad aiff y ddwy ohonoch chi? Byddech yn gwmni i'ch gilydd."

"Fan hyn maen nhw eisiau inni fod," plygodd Henriét yn nes ato'n gyfrinachol, gan sibrwd, "i gadw llygad ar Lloyd George."

"Mae eisiau cadw llygad ar hwnnw!"

Daeth y weinyddes atyn nhw efo tebot a dau ddarn o darten, a diolchodd Aneurin iddi.

"Beth bynnag, mae yna reswm arall pam nad af i Lundain ..."

"Ydw i'n cael gwbod?"

"Wyt, dwi wedi cael fy nerbyn i Goleg Bangor!"

"Henriét! Da iawn ti – mae hwnnw'n newyddion arbennig o dda," atebodd Aneurin ac roedd ei lygaid yn pefrio. "Dwi mor falch drosot ti. Wyt ti ddim yn esgeuluso dy ddarllen efo'r holl ymgyrchu 'ma?"

"Dwi reit ynghanol gweithiau Mary Wollstonecraft," meddai Henriét, gan dollti'r te.

"Fel Syffrajét fach gydwybodol!" meddai, gan wenu.

"Dwyt tithau ddim yn segur, debyg, Aneurin."

"Digon undonog ydi petha yn y banc, ond mae gwaith yr ILP yn gynhyrfus. Rydan ni'n dal i ddenu aelodau newydd, ac mae'r canghennau sefydlwyd gennym dros flwyddyn yn ôl yn datblygu, wrth i'r bobl fagu profiad."

"Mi ddois ar draws lot o aelodau'r ILP ymysg y merched yn Llundain."

"Mae Sylvia Pankhurst yn Sosialydd, ac yn gwneud gwaith da. Dwi ddim mor siŵr am ei mam a'i chwaer."

"Dydi Mrs Pankhurst a Christabel ddim yn credu y dylai merch fod yn aelod o'r un blaid wleidyddol nes y bydd o ddifri am roi pleidlais i ferched."

"A be ydi barn Henriét?" gofynnodd, wrth grafu'r hufen oddi ar ei blât.

"Dwi'n tueddu i gytuno â Mrs Pankhurst – beth ydi'r pwynt bod yn aelod o blaid os na elli fotio? Pam ti'n gwenu?"

"Dwi yn fy ngwaith yn trio cael pobl i ymaelodi efo'r Blaid Lafur, a dwi'n methu perswadio un o'm ffrindiau gorau! Paned arall?"

"Diolch. Mae arna i ofn 'mod i wedi troi'n dipyn o sinig, Aneurin. Dydi addewid gan y Blaid Lafur ddim yn ddigon da – gweithredoedd 'dan ni eisiau."

"Ond fedra nhw ddim gweithredu nes y cân nhw ddigon o rym i lywodraethu. Dyna pam mae'n rhaid inni gael aelodau gynta!" mynnodd Aneurin.

"Hyd yn oed tasa Llafur mewn Llywodraeth ar ei phen ei

hun, dwi'n meddwl y byddai ganddi dipyn go lew o betha ar ei rhestr cyn iddi ddod at roi'r bleidlais i ferched."

"Beth sydd ar ben dy restr di 'ta, Henriét?"

"Dymchwel Llywodraeth Asquith."

"A helpu'r Ceidwadwyr?"

Roedden nhw wedi hen ddisbyddu'r tebot erbyn hyn, ond doedd gan yr un o'r ddau awydd gadael y caffi.

"Aneurin, dwi'n meddwl bod ni'n dau'n edrych ar y mater yn wahanol. I mi, byd dynion ydi'r Senedd a'i phleidiau. Does gan ferched ddim unrhyw hawl yno, a dydyn nhw ddim mo'n heisiau ni. Niwsans ydan ni a dim byd arall. Un ddeddf rydan ni ei heisiau, a tan caiff honno ei phasio, does dim ots am ddim byd arall."

Gwenodd Aneurin arni.

"Felly fedra i wneud dim i dy berswadio i ddod yn Sosialydd?"

"Gei di ddal ati i drio," atebodd Henriét efo gwên.

Roedd Henriét mewn hwyliau da iawn pan ddaeth drwy ddrws ei chartref. Yn y stafell fyw, roedd ei mam yn darllen y papur.

"Roedd Aneurin yn falch o dy weld, dwi'n siŵr," meddai.

"Oedd, ac yn arbennig o falch 'mod i wedi fy nerbyn i'r coleg ym Mangor ..."

Tynnodd Henriét ei het, ac eistedd i lawr gan fwytho'r gath. Edrychodd Ann Hughes ar ei merch, ac mor osgeiddig yr edrychai.

"Mae yna newid mawr o dy flaen," meddai'n fyfyriol.

"Oes, mae bob dim fel tasa fo'n digwydd rŵan – cymaint o

syniadau newydd ers Llundain, maen nhw'n rasio yn fy mhen fel meri-go-rownd."

"Gwna di'n siŵr dy fod yn rhoi digon o amser i dy lyfrau hefyd." Edrychodd ei mam ar y gyfrol o waith Wollstonecraft ar y bwrdd. "Dwi reit bendant nad ydi hwnna yn llyfr gosod!"

Cododd Henriét y gyfrol a dechrau ei byseddu.

"Mae'r cwbl yn rhan o ddysgu, Mam. Roedd hon yn sgwennu gan mlynedd yn ôl ... petai yna fudiad merched yr adeg honno, dychmygwch lle fasan ni rŵan!"

"Dwi'n gwbod, Henriét fach, ond nid y chdi ydi'r unig un wrthi."

Edrychodd ar ei mam yn ddryslyd.

"Be ydach chi'n ei feddwl?"

Safodd ei mam ac edrych arni, cyn troi ei golygon at y ffenest.

"Poeni amdanat ti ydw i, waeth i ti gael gwbod."

"Rydych chi'n poeni amdana i drwy'r amser. Wedi Llundain, ro'n i'n meddwl y byddai gennych fwy o ffydd ynof i."

"Ers Llundain, dwi'n poeni mwy ... yr holl helbul efo'r malu ffenestri, y nifer arestiwyd ... mae petha'n mynd yn hyll, Henriét."

"Fedrwch chi ddeall pam – chi, o bawb. Rydach chi wedi bod wrthi'n llawer hwy na mi."

"Wn inna ddim beth i'w wneud ar ôl y gwrthodiad dwytha, ond fel hyn mae petha. Mae rhywun yn codi ei obeithion, ac yna – does dim oll yn digwydd."

"Mae Millicent Fawcett ei hun yn deud nad ydi'r NUWSS yn gwneud unrhyw gynnydd, a bod y malu ffenestri wedi symud petha'n eu blaen ..." meddai Henriét.

“Ydi, ond mae hefyd yn gelyniaethu pobl yn ofnadwy.”

“Ydi o ots? Ydi ots pwy ydan ni’n ei elyniaethu os fedrwn ni ddwyn pwysau ar y rhai sydd mewn grym?”

Roedd Henriét mor daer! Sut oedd dweud wrth bobl ifanc nad oedd gobaith ynddo’i hun yn ddigon? Ochneidiodd Ann.

“Mae’r sefyllfa’n ddigalon, Henriét. Dwi ’mond yn gofyn i ti fod yn ofalus, dyna’r cwbl. Rwyt ti mor ifanc, ac mae gen ti yrfa dda o dy flaen. Dwi’n falch dy fod yn sefyll dros dy hawliau, ond dydi’r baich i gyd ddim ar d’ysgwyddau di. Gwna dy ran, ond cofia fod yna rai eraill – falle efo llai i’w golli na ti.”

Am unwaith, bu Henriét yn ddigon call i gadw’n dawel. Ond meddwl am Rosa May a wnaeth, ac am Gladys, wrth gwrs.

Pennod 25

Ar ei ffordd i dŷ Maude oedd Henriét ar fore braf o wanwyn. Roedd popeth yn blaguro ac adar bach yn canu, a theimlai Henriét yn hynod obeithiol. Fel roedd hi'n mynd heibio Siop Bach, gwelodd fwrdd hysbyseb a barodd iddi stopio'n stond.

'TITANIC SINKS'

Doedd y peth ddim yn bosib. *Y Titanic*? Y llong fwya'n y byd? Aeth i mewn i'r siop a phrynu'r papur.

"Mae'n sobor, tydi?" meddai Gwenda, y ferch tu ôl i'r cownter. "Pawb methu credu ..."

"Be ddigwyddodd?"

"Taro rhew yn ôl y sôn, heb fod yn bell o 'Merica."

"A'r bobl oedd arni?"

"Wedi boddi – bron i ddwy fil."

Agorodd Henriét y papur a dechrau darllen yr adroddiad. Fel pawb arall, fe'i sobrwyd gan y stori. Dyna destun y sgwrs yn syth wedi iddi gyrraedd tŷ Maude.

"Dydyn ni ddim wedi sôn am fawr ddim arall," meddai Maude.

"Ond hon oedd y llong na fyddai'n suddo," mynnodd Henriét, yn dal i ddarllen y stori gan geisio gwneud synnwyr ohoni. Ond doedd dim synnwyr ynddi.

"Aeth pob un ar y daith honno'n grediniol na fyddai'r llong honno'n suddo," meddai Gladys. "Hi oedd y llong fwya yn y byd. Doedd y peth ddim i fod i ddigwydd."

"Ond digwydd wnaeth o. Yn ôl hwn, fe ddaeth llong arall yn y man, ond roedd y rhan fwya a neidiodd i'r dŵr wedi marw o effeithiau'r oerfel," meddai Henriét.

"Sydd ddim yn syndod os mai taro mynydd iâ wnaeth hi. Fedra i ddim stopio meddwl amdanyn nhw."

Yn y man, cafodd Henriét wybod fod cynlluniau ar droed ar gyfer protest yng Nghaernarfon a bod angen iddi hi a Gladys dorri ar draws cyfarfod yn y Pafiliwn. Byddai Maude yn gyfrifol am ddod o hyd i ferched eraill, a hi fyddai'n siarad gyda'r gohebwyr wedi'r brotest.

"Ydi o'n gyfarfod pwysig?" holodd Henriét.

"Y dyn ei hun sy'n annerch," atebodd Maude, "neb llai na Lloyd George."

Pan gyrhaeddodd Henriét a Gladys Bafiliwn Caernarfon, roedd y lle eisoes dan ei sang. Roedd o'n dal cannoedd, ond roedd yn sioc gweld cynifer o bobl i gyd efo'i gilydd.

Cafodd Maude afael ar griw o ferched o Gaer i'w helpu, ond gan eu bod yn ddi-Gymraeg, roedd Henriét a Gladys i fod i godi gynta, fel arwydd i'r gweddill dorri ar draws. Un peth oedd cydsynio i wneud y weithred, peth cwbl wahanol oedd ei wneud yn y fan a'r lle, a hwnnw'n lle mor gyhoeddus. Roedd y ddwy'n eithriadol o nerfus.

"Atgoffa fi eto pam 'dan ni'n gwneud hyn," meddai Henriét, yn teimlo ei dwylo'n crynu.

"Am fod hwn yn un o'r dynion mwya hunanbwysig sy'n bod," atebodd Gladys. "Mae o wedi meddwi ar ei bwysigrwydd ei hun. Mae o'n haeddu pin yn ei swigen."

"Dwi'n crynu, Gladys!"

"A finna. Ond mae'n rhaid ei wneud o. Munud rydan ni wedi codi, mi godith y lleill – fydd o drosodd mewn dim. Mi goda i gynta ..."

Yn y tu blaen, roedd pawb oedd yn rhywun yn eistedd yn gyfforddus, ac roedd y cynnwrf yn y dorf i'w deimlo, fel roedd pob tro y bendithiai Lloyd George hwy â'i bresenoldeb. Pob un ar y llwyfan yn ddyn, sylwodd Henriét, a phob un dros ei ddeg ar hugain. Dyma 'Hen Wlad Fy Nhadau', myn coblyn, meddyliodd, neu 'Wlad fy Hen Dadau'. Yn ei phoced roedd ruban yr WSPU, ond gan ferched Caer oedd y faner. Teimlai ei dwylo'n chwyslyd.

Dadgysylltu'r Eglwys oedd testun y cyfarfod, ac roedd Gladys a hi wedi hen syrffedu ar yr areithiau. I be oedd angen cyflwynydd i gyflwyno'r cadeirydd iddo fo yn ei dro gyflwyno'r siaradwr? Brensiach, siawns fod gwell ffordd o lywyddu cyfarfod. Roedd pawb yn ei dro'n diolch i'r sawl drefnodd y cyfarfod, ac roedd popeth yn hynod o ffurfiol a pharchus. Dim ond drwy ei llygaid roedd Gladys yn cyfathrebu â hi. Os oedd hi'n nerfus, doedd hi ddim yn dangos hynny.

Yn y man, wedi cyflwyniad maith iawn, cyhoeddwyd bod Lloyd George ei hun yn mynd i siarad. Cafwyd bonllef o gymeradwyaeth, ac roedd Henriét ar fin codi ar ei thraed, pan rybuddiodd Gladys iddi beidio.

"Gad i'r curo dwylo beidio gynta," sibrydodd Gladys, "a gad i'r dyn ddeud gair neu ddau. Mi safa i gynta." Roedd yr ychydig eiliadau hynny fel oes. Ysai Henriét i'r cyfan fod drosodd.

Doedd hi erioed wedi gweld Lloyd George yn y cnawd o'r blaen. Rhyfedd oedd gweld wyneb fu ar gymaint o bosteri a lluniau'n dod yn berson byw o'i blaen. Aeth i ganol y llwyfan ac edrych ar y gynulleidfa gan wenu. Cymeradwyaeth arall. Ew, roedd yr hen ddewin yn gwybod sut i drin cynulleidfa.

"Barchus Lywydd a chyd-Gymry!" meddai, a dychrynodd Henriét pan saethodd Gladys ar ei thraed.

"Y Bleidlais i Ferched!" gwaeddodd, ac edrychodd Lloyd George i'w cyfeiriad, ac roedd ei gwaedd fel cyllell drwy syrthni'r cyfarfod. Rhuthrodd dynion o'r ochr tuag ati.

"Mae gennym hawl i'r bleidlais!" gwaeddodd eto, gan droi i edrych ar ei ffrind.

Fel tegan mecanyddol, safodd Henriét ar ei thraed a cheisio gweiddi, ond ni ddaeth llais o'i cheg.

"Beth am y merched? Rhowch ein hawliau inni!" bloeddiodd Gladys.

"Ia!" meddai Henriét o'r diwedd, mewn llais fel llygoden.

“Steddwch i lawr, y ffyliaid dwl!” gwaeddodd dyn y tu ôl iddyn nhw.

“Dangoswch dipyn o barch, yr hoeden ddigywilydd!” gwaeddodd rhywun arall.

Cofiodd y ddwy am y rubannau a chwifio rheini. Erbyn hynny, roedd merched Caer wedi torri ar draws.

Yn sydyn, teimlodd Henriét law dyn yn gafael yn ei garddwn.

“Steddwch, ddeudais i! Dydan ni ddim yn gweld!” Ond roedd yn rhy hwyr – roedd y dyn wedi troi ei braich, ac yn gafael ynddi.

Gwelodd ei gyfaill yn gwneud yr un fath i Gladys a gwaeddodd, ond yn ofer. Rhoddodd y dyn ei law ar ei cheg a sylweddolodd Henriét ei bod yn cael ei chludo ymaith.

Roedd dyn wedi gafael am ei chanol, ac yn ei llusgo i’r cefn. Trawodd gwraig hi efo ambarél a thynnodd rhywun arall ei gwallt. Doedd hi ddim wedi paratoi ei hun ar gyfer hyn o gwbl. Roedden nhw’n tynnu, yn brifo, yn pinsio, yn hegar. Yna, cyffyrddodd rhywun ei bron a chwarddodd y bobl. Chwerthin ar ei phen hi roedden nhw a’i gwneud yn gyff gwawd. Brathodd Henriét y llaw oedd yn ei stopio rhag anadlu, a gollyngwyd hi ar y llawr. Dyna pryd y collodd Gladys, ac roedd fel petai’r dorf am ei gwaed. O rywle, ymddangosodd plismon, cododd hi, a’i llusgo allan o’r Pafiliwn. Trawodd hi’n filain ar y llawr, a theimlodd Henriét ei hun yn friwiau drosti.

“Ewch o’ma am eich bywyd,” meddai’r heddwas, “neu mi fyddan nhw wedi eich lladd.”

Cododd Henriét, a gweld criw o bobl yn dod amdani. Heb

edrych lle roedd Gladys, rhedodd i lawr yr allt tuag at y brif ffordd. Roedd pobl yn dechrau edrych arni, a dim ond yr adeg honno y sylwodd fod ei blows wedi ei rhwygo, a'i dillad isaf yn y golwg. Trodd i weld y dorf yn troi ar ryw ferch arall, ac yna ymddangosodd Gladys.

Sibrydai ambell wraig wrth y naill a'r llall, ac yn amlwg roedd rhywrai'n ei hadnabod.

"Rhed! Rhed Henriét – am dy fywyd! Dydi'r rhain ddim hanner call!" gwaeddodd Gladys.

Ond doedd rhedeg ar strydoedd y dref ddim yn teimlo'n iawn. Ceisiodd dynnu ei blows at ei gilydd, a sylwodd fod ei het wedi hen fynd. Sylwodd ar y bobl ar y stryd, rhai'n chwerthin, eraill yn edrych yn stowt, a phawb yn ddrwgdybus ohoni. Doedd dim un wyneb clên yn eu mysg.

"Cywilydd arnoch chi," gwaeddodd un wraig, "a chithau'n hogan barchus!"

Mwya sydyn, teimlai Henriét yn fudr ac yn aflan. Roedd yn brofiad cwbl newydd iddi. Peth dychrynllyd oedd gwarth torf. Dechreuodd wylo'n hidl.

Pennod 26

A rhyw haf rhyfedd felly oedd hi'n 1912, o gael pobl yn ymosod arnom, ac o ffraeo teuluol a rhwygiadau o bob math – rhwygo dillad, rhwygo calonnau a rhwygo cyfeillgarwch. Fatha tasa rhywun wedi ein witsio ni. A mi ddois i feddwl am suddo'r Titanic *fel symbol o sut flwyddyn y bu.*

Cartref Maude oedd y noddfa yn y storm, ac yno yr aeth y ddwy ffrind, ac ymunodd Maude â hwy'n fuan. Roedd pawb wedi cael eu hysgwyd gan y profiad. Wedi 'molchi, cael menthyg blows arall gan Maude a chael tamaid i'w fwyta, roedd y tair yn teimlo'n well. Roedd merched Caer wedi dal y trên yn ôl, ac er eu bod wedi cael profiadau gwaeth o'r blaen, roedden nhw o'r farn fod pobl Caernarfon yn rhai arbennig o filain.

"Pam?" oedd cwestiwn mawr Henriét. "Pam na fedra nhw weld yr annhegwch?"

"Tarfu ar Lloyd George oedd y pechod mawr, dybiwn i," atebodd Maude.

Ac yn wir, wedi iddi gyrraedd ei chartref, canfu Henriét fod ei theulu ymhell o fod yn hapus efo'r brotest. Methodd rhieni Henriét ddygymod â'r ffaith fod eu merch wedi torri ar draws yr aelod seneddol (a'r Canghellor) yn eu tref eu hunain. Pan mae cymdeithas yn troi yn erbyn rhywun, nid gwarth yn erbyn un ydyw, ond yn erbyn tylwyth. Felly mae hi wedi bod erioed; mae dial yn rhywbeth llwythol.

"A dyna'r peth na fedri di mo'i ddeall," meddai ei thad, wedi cael digon. "Wrth weithredu yn y modd hwn, rwyt ti'n dod â gwarth ar y teulu. Rydyn ni i gyd yn dioddef."

"Mae yna ddioddef beth bynnag wna i," dadleuodd Henriét. "Dydych chi ond yn cwyno am ei fod yn eich cyffwrdd chi."

"Lol, does neb wedi bod yn fwy cefnogol i achos y merched na dy fam a minnau!"

"Ond siawns nad wyt yn gweld fod byhafio fel gwnest ti'n gwneud drwg i'r achos," meddai ei mam.

"Cwbl ddaru mi oedd sefyll ar fy nhraed a gweiddi!" meddai Henriét, yn colli ei hamynedd.

"Ond o flaen Lloyd George, o bawb," meddai ei thad, "hynny sy'n brifo."

Rhoddodd Henriét ei phen yn ei dwylo 'Lloyd George, Lloyd George' – roedd wedi syrffedu clywed ei enw. Beth oedd y gafael hudol oedd ganddo ar bobl y broydd hyn?

"Dwyt ti ddim i wneud hynny eto, wyt ti'n deall?" meddai ei thad. "Mi fydd y gwarth yn ddigon i'n gorffen."

"Tase fo ddim yn Lloyd George, Tada, fyddech chi mor flin?"

"Na fyddwn, debyg – er y byddwn ymhell o fod yn hapus."

"Be ydi'r gafael sydd gan Lloyd George arnoch chi?"

"Dangos dipyn o barch at dy dad, Henriét. Rwyt ti'n hy iawn arno," meddai ei mam, oedd wedi cadw'n dawel iawn.

"Eisiau gwbod ydw i – mae Lloyd George fel tasa fo wedi witsio pobl fan hyn."

"Mae gen i barch at y dyn," meddai ei thad yn bwysig. "Mae o wedi gwneud andros o lot dros bobl gyffredin. Meddwl di o lle daeth o – cael ei fagu ar aelwyd gyffredin – a bellach, dyma fo'n aelod seneddol ac yn defnyddio ei ddylanwad i wella cyflwr y werin. Siawns nad wyt ti wedi dysgu cymaint â hynny."

"Ond mi fedrai wneud cymaint mwy! Rydach chi wedi cytuno efo mi ei fod o'n cael trafferth efo hawliau merched."

Gwelodd ei mam yn gwingo. Roedd hi'n mentro wrth ateb ei thad yn y modd hwn, ond doedd Henriét ddim yn gweld pam na ddylai ateb yn ôl. Gwyddai mai fo oedd y penteulu, ond nid unben mohono. Roedd yn parchu ei thad, ond roedd hi'n anghytuno ag o – yn chwyrn.

"Mae o mewn lle cyfyng, fel rydan ni wedi trafod sawl tro. Ond ddaru mi 'rioed feddwl y byddai merch i mi'n sefyll o'i flaen a gweiddi arno – yn y dre hon, o bob man – a chael ei chario allan gan blismyn ..." Ysgydwodd ei ben mewn anobaith.

"Deudwch wrtho fo, Mam," meddai Henriét, wedi cael llond bol ar ei mam yn actio'r wraig ufudd, "sut mae'r Syffrajéts yn cael eu trin. Nid ein bai ni ydi o."

"Llai o'r 'ni' yma," meddai ei thad.

Sylweddolodd Henriét fod ei thad wedi digio go iawn. Roedd o fel cymaint o bobl barchus eraill, yn gweld y ddadl dros ferched yn glir, ond yn methu goddef y syniad o wragedd yn protestio'n gyhoeddus.

"Mam?"

"Dwi'n cael fy rhwygo rhwng y ddau ohonoch. Wrth gwrs 'mod i'n gweld dy ochr di, ac mae 'nghalon i'n gwaedu drosot

… a dwi'n gweld penbleth dy dad hefyd. Ond dwi wedi deud o'r blaen 'mod i'n poeni fod petha'n mynd yn hyll …"

"A pham maen nhw'n mynd yn hyll? Am nad ydi Lloyd George yn gallu perswadio'r Llywodraeth i newid ei meddwl. Dyna pam ro'n i'n codi llais!"

"Ydi o wedi gwneud gronyn o wahaniaeth, Henriét? Ydi Lloyd George yn sydyn wedi newid ei feddwl am fod haid o ferched wedi gweiddi? Dim o gwbl!" meddai ei thad yn sarhaus. "Ond mae o wedi gwneud gwahaniaeth i ti, paid â meddwl nad ydi o. Mae pobl wedi dy weld mewn golau gwahanol. Ac mae gen ti – yn enwedig rŵan – bopeth i'w golli! Mae gen ti gyfle aruthrol wrth fynd i'r brifysgol, a ti'n fodlon ei luchio i'r gwynt!"

"Dyna sy'n ein poeni ni, Henriét. Lle wyt ti arni ar hyn o bryd … dwyt ti ddim wedi cychwyn ar dy yrfa, hyd yn oed, a ti mor ifanc."

"Deudwch 'mod i'n bod yn hogan dda, yn cael fy ngradd – be wedyn? Beth petawn i'n trio mynd i'r byd gwleidyddol, gwneud fy ngorau dros y Rhyddfrydwyr? Fedra i wneud dim, achos mai merch ydw i. Does gen i ddim pleidlais, hyd yn oed. Dwi ddim yn cyfri!"

"Digon o'r gweiddi 'na," rhybuddiodd ei thad, a bu raid i Henriét anadlu'n ddwfn cyn parhau.

"Cyn cael dim arall, mae'n rhaid i ni gael y bleidlais, o ran hunan-barch. Wedyn mae'n rhaid inni gael aelodau seneddol sy'n ferched inni ddechra creu'r math o fyd rydan ni eisiau ei greu …"

"Tasat ti'n poeni am dy hunan-barch, fyddet ti ddim wedi byhafio fel y gwnest ti yn y Pafiliwn. Ond mi ddeuda i un peth, hawliau merched ai peidio. Tra wyt ti dan y to yma, fi ydi'r penteulu. A dwi'n deud nad wyt ti i gymryd rhan mewn protest felly eto – wyt ti'n deall, nid tra wyt ti'n byw yma!"

"Deall yn iawn, Tada," meddai Henriét, ac aeth i fyny i'w stafell. Estynnodd am y cês dillad, agor y ddrôr uchaf, a dechrau pacio. Ysgrifennodd nodyn i'w rhieni, a'i adael ar y gwely. Ymhen dim o dro, roedd yn sefyll ar riniog tŷ cyfarwydd, ac wedi iddi ganu'r gloch, daeth Maude i'r drws.

"Oes gennych chi noddfa dros dro i rywun arall sydd wedi ffraeo efo'i thad?" gofynnodd Henriét yn betrusgar.

"Tyrd i mewn!" meddai Maude, a'i chofleidio.

Mawr oedd cynnwrf Gladys a Maude pan ddywedodd yr hanes, ond doedd rhoi lle iddi aros ddim yn drafferth o gwbl. Roedd Maude wedi cael gwely dros dro, ac roedd modd iddi gysgu gyferbyn â gwely Gladys.

Roedd ar fin mynd i gysgu pan gymerodd lymaid o ddŵr o'r gwydr ar y cwpwrdd wrth y gwely a sylwi ar ddarn o bapur ar ochr Gladys. Estynnodd ato a'i ddarllen.

'Eisteddfod Genedlaethol Wrecsam 1912
Araith gan Lloyd George'

Falle bod cyfle arall i gwrdd â'r Dyn Mwstásh wedi'r cyfan, meddyliodd.

Pennod 27

Y bore wedyn, bu'r merched yn trafod sut oedd modd i'r tair fyw efo'i gilydd, a sut i gynnal y naill a'r llall. Roedd Gladys yn ysu i fynd i Lundain, ond nid oedd yn fodlon mynd ei hun, ac roedd yn gyndyn o adael ei mam.

"Rhagor o dost, ferched?" gofynnodd Maude, a'r fforch grasu yn ei llaw.

"Ti'n edrych yn beryg!" meddai Gladys, a chwarddodd y tair.

Braf ydi hyn, meddyliodd Henriét. Braf ydi teimlo cariad y chwaeroliaeth yma, a gwybod eu bod yn ffrindiau gorau. Braidd yn bendramwnwgl oedd pethau amser brecwast yn nhŷ Maude o'i gymharu â chartref ei rhieni, ond doedd dim ots. Roedd Henriét yn hoffi'r anffurfioldeb, a'r modd roedd y tair yn cyd-dynnu.

"Wyt ti am fod yma am gyfnod rŵan?" holodd Maude. "Achos os wyt ti, mae'n well inni ddechra meddwl sut medrwn ni gynnal ein hunain."

Cymerodd Henriét anadl ddofn.

"Hyd y gwela i, mae gen i'r dewis o fyhafio fy hun a byw efo fy rhieni, neu ddod yma atoch chi a pharhau i ymgyrchu."

"Mae hwnnw'n well dewis na'r un oedd gen i," meddai Gladys. "Cael fy ngholbio'n ddulas yng nghartre fy rhieni, neu ddod yma."

Cliriodd Henriét y briwsion ar ei phlât. Gwyddai ei bod yn andros o lwcus o'i chymharu â Gladys, a doedd ei ffrind ddim am iddi anghofio hynny.

"Mae gennym y dewis o geisio cael swyddi neu symud i le llai. Dwi'n iawn efo'r naill ddewis neu'r llall."

Y penderfyniad yn y diwedd oedd gwneud y ddau. Symudodd y tair i le llai, a chafodd Gladys waith yn helpu ei mam i lanhau tai. Teimlai Henriét yn wael ei bod yn dal i fod yn yr ysgol, ond cytunai pawb y dylai barhau â'i gwaith academaidd tra gallai.

"Hir oes i'r tair Syffrajét" meddai Maude gan godi ei chwpanaid o de.

"Hir oes!" meddai'r lleill.

"Mae mater y Steddfod i'w benderfynu hefyd," ychwanegodd Gladys. "Mae'r Dyn Mwstásh yn rhoi ei araith yn y Steddfod, ac mae Maude wedi canfod dipyn o ferched sydd eisiau codi twrw ..."

"Dyna fydd tarfu ar y Sefydliad!" meddai Henriét, yn dychmygu ei thad yn darllen am yr hanes, ac yn tagu ar ei frecwast.

Pasiwyd yn unfrydol eu bod yn dal y trên i Wrecsam ymhen rhai wythnosau.

Doedd Henriét na Gladys erioed wedi bod yn yr Eisteddfod Genedlaethol o'r blaen. Tasa hi'n dod i hynny, doedden nhw erioed wedi bod yn Wrecsam ychwaith. Ond y tro hwn, roedd Maude wedi dod efo nhw, a theimlai'r ddwy yn dipyn mwy hyderus. Gan ei bod yn Fedi bellach, roedd y cleisiau ar wyneb Gladys wedi gwella'n llwyr, a theimlai'r tair fel petaen nhw'n mynd ar drip ysgol Sul!

"Wir i chi, dwi'n edrych ymlaen at hyn," meddai Gladys wrth i'r trên gyrraedd gorsaf Wrecsam.

"Ti'n grand rhyfeddol yn dy het newydd," meddai Henriét.

"Dydd Iau y Steddfod ydi diwrnod pwysica'r wythnos," eglurodd Maude. "Maen nhw'n ei alw'n Ddiwrnod Lloyd George."

"Lle ydyn ni i fod i gwrdd â'r merched eraill?"

"Wrth y pafiliwn, rhyw chwarter awr cyn mynd i mewn," atebodd Maude. "Dyma ni – fan'ma rydan ni'n dod oddi ar y trên."

Roedd hi'n ddiwrnod heulog a synnodd y ddwy o weld maint y pafiliwn. Erbyn hanner awr wedi un, roedden nhw wedi dod ar draws rhai o'r merched eraill, a sylwodd Gladys a Henriét eu bod yn ddi-Gymraeg. Teithiodd rhai yr holl ffordd o dde Cymru, a bu Maude yn egluro dipyn iddyn nhw am gefndir y Steddfod.

"So is it held here every year?" holodd un wraig, a soniodd

Maude fod yr ŵyl yn cael ei chynnal bob yn ail yn y gogledd a'r de, "and they take this pavillion down after a week, and put it up again in the next Eisteddfod the following year."

"And the great man himself is going to be there now? Why do the north Walians adore him so much?"

"He charms them, and he gave them a pension, and he's important ... no other Welshman has climbed so high and they worship him for that. He epitomises Wales ... I think it's time for us to go in."

Gan fod gan bawb docynnau gwahanol, roedden nhw wedi eu gwasgaru hwnt ac yma ar draws y pafiliwn, yng nghanol torf o dair mil ar ddeg. Ar gyfer yr araith hon, roedd y lle dan ei sang, a llawer yn sefyll ac wedi eu gwasgu at ei gilydd. Caeodd y drysau a chanodd y seindorf y dôn, 'See the Conquering Hero Come'.

Cododd Maude ei haeliau. "'Conquering Hero' myn coblyn i!" sibrydodd dan ei gwynt.

Trefnwyd mai Maude oedd i godi gynta, ac unwaith eto, roedd Henriét yn ysu am gael y brotest drosodd. Roedd wedi meddwl y byddai pethau'n haws yr eildro. Os oedd y dorf yn y pafiliwn yng Nghaernarfon yn fawr, roedd y lle hwn ddeng gwaith mwy. Cerddodd Lloyd George ar y llwyfan fel petai'n frenin, a churodd pawb eu dwylo'n frwd, gan gynnwys Maude a'r ddwy arall, rhag tynnu sylw atyn nhw eu hunain. Wedi iddyn nhw eistedd, doedd dim siw na miw.

"Rydych yn dorf ardderchog," meddai Lloyd George gan edrych i bob cyfeiriad ar y miloedd oedd yn bresennol. "Hardd lu, does 'na ddim golygfa harddach na phafiliwn ein Prifwyl Genedlaethol ..."

Safodd Maude ar ei thraed.

"Pam na rowch chi hawliau i ferched?" gwaeddodd, a throdd y rhai o'i blaen mewn dychryn. Clywyd y dorf yn ochneidio, a thuchan wnaeth Lloyd George hefyd.

"... ar wahân i rai wrth gwrs!" a chwarddodd pawb.

"Mae'n iawn i ferched gael y bleidlais!" gwaeddodd Maude cyn i heddwas ruthro ati a'i llusgo o'i sedd. Gadawodd Henriét a Gladys iddi gael ei hebrwng oddi yno, a setlodd pawb i lawr drachefn. Ar awgrym Esgob Llanelwy, canwyd yr anthem genedlaethol gan y côr er mwyn adfer yr awyrgylch priodol.

"Diolch yn fawr i chi," meddai Dyn y Mwstásh, "a dod i ddathlu Hen Wlad fy Nhadau ydi bwriad yr Eisteddfod, 'te?"

"Fôts i Ferched!" gwaeddodd llais dyn, a chythrodd yr heddlu amdano. Arhosodd pawb i'r gŵr gael ei hebrwng oddi yno, a chymeradwyodd y dorf.

"Diolch yn fawr i chi, heddweision," meddai Lloyd George. "Twt lol. Mae'r rhain ar fy ôl i ym mhob man. Roedd yna gystadleuaeth mewn eisteddfodau bach ers talwm, ac mi roddwyd gwobr am y ffon gerdded gollen orau, dwi'n cofio'n iawn. Mi fasa un o'r ffyn rheini'n handi iawn inni pnawn ma ..."

Chwarddodd pawb yn harti eto gan gymeradwyo'n frwd. Gwenodd Dyn y Mwstásh ar ei ffraethineb ei hun.

Saethodd Gladys ar ei thraed.

"Gwarth arnoch yn deud y fath beth!" gwaeddodd. "Fôts i Ferched!"

Y tro hwn, cododd y dyn o'i blaen a tharo Gladys yn galed efo'i ffon.

"Mae ganddo berffaith hawl i ddeud hynny – ffon ydi'r

unig ffordd i'ch trin chi, y gwrachod ffiaidd!" Curodd hi'n ddidrugaredd.

"Peidiwch!" llefodd Henriét, wrth geisio ei hamddiffyn. Roedd dau heddwas yn rhuthro tuag atyn nhw.

"Fôts i Ferched!" gwaeddodd Henriét, ac fe'i curwyd hithau gan y dyn yn y sedd tu ôl iddi, a'r un gyferbyn. Roedden nhw wedi ymuno yn yr hwyl, ac yn dyrnu'r ddwy gorau y gallent, yn ferched ac yn ddynion.

"Mi ddangoswn ni sut mae'r Cymry'n trin y Syffrajéts," meddai'r dyn efo ffon. Ar hynny, gafaelodd yr heddwas am ganol Henriét a'i chodi oddi ar y llawr. Ond er bod dau blismon yn eu cario, ddaru'r ymosodiadau ddim peidio. Roedd pobl yn rhuthro atyn nhw ac yn tynnu eu gwalltiau ac yn rhwygo eu dillad. Doedd yr heddlu'n dweud dim, ac roedd y dyrnau'n dal i ddod. Yn y pellter, clywodd ferched eraill yn codi ar eu traed ac yn gweiddi "Votes For Women!" dros y lle.

Safodd Lloyd George yn edrych ar yr olygfa fel petai'n gwylio gornest focsio. Ond erbyn hynny, roedd Henriét bron yn anymwybodol. Y peth olau a sylwodd oedd fod het newydd Gladys druan wedi ei sathru dan draed.

Pennod 28

"A dyna pam, frodyr a chwiorydd, ein bod yn mynnu mai dim ond plaid y gweithwyr gaiff y maen i'r wal. Rydym ni yn Sir Gaernarfon wedi dod yn rhy gyfforddus ar glustog Rhyddfrydiaeth. Mae sôn rhamantus am Gymru Fydd, a'r dydd a ddaw, ond heddiw rydyn ni eisiau cyfiawnder – heddiw!"

Cafodd y gŵr ifanc gymeradwyaeth frwd.

"Ydi, mae'r Blaid Ryddfrydol wedi bod yn gorlan ddiogel yn erbyn stormydd y dyddiau fu. Ond bellach, a hithau'n dal ei gafael brau ar y Llywodraeth, y cwbl a gawn ydi cyfaddawd ar ôl cyfaddawd. Mae angen mudiad newydd i ddal syniadau newydd. Aeth yr hen bethau heibio. Peidiwch â glynu'n sentimental wrth hen ddelfrydau. Byddwch yn ddigon dewr i roi eich ysgwydd tu ôl i blaid newydd fydd yn gwireddu'r delfrydau hynny – y Blaid Lafur!"

Ac i sŵn curo dwylo, eisteddodd y siaradwr yn ei sedd.

"Diolch yn fawr iddo. Diolch am eich cymeradwaeth wresog i Mr Aneurin Edwards. Rydym yn falch o'ch cael chi yma yn Nyffryn Nantlle. Mae eich gwrandawiad a'ch croeso yn dangos fod gan y gŵr hwn allu neilltuol i fynd ymhell. Mae'n hynod weithgar yn y cylchoedd hyn, fel y gwyddoch. Pwy a ŵyr – falle y daw'r dydd pan fydd yn fodlon herio Lloyd

George ei hun am sedd yn Nhŷ'r Cyffredin!"

Nid pawb yn y cyfarfod oedd yn hapus. Cododd mwy nag un i ddweud mai syniadau Seisnig oedd Sosialaeth, a'i fod yn iawn i 'Hogia'r Sowth', ond roedd traddodiad gwahanol yng ngogledd Cymru.

"Mae gennym ni ers blynyddoedd ein Hundeb Chwarelwyr, ac mae hwnnw'n edrych ar ôl hawliau'r gweithwyr. Wn i ddim pam bod angen ailddyfeisio'r olwyn, a chael plaid newydd. Mae hi wedi cymryd blynyddoedd inni gyrraedd fan hyn, ac mae Rhyddfrydiaeth yn ddwfn yn ein gwaed. I be wnawn ni botsian efo plaid newydd, a llawer o'r arweinwyr yn rhai o'r tu allan, Mr Edwards?"

"Amser a ddengys," meddai Aneurin, gan godi ar ei draed. "Os ydych chi'n hapus efo Asquith a'i griw, boed felly. Ond dydyn nhw ddim yn agos iawn at y werin. Maen nhw wedi mynd yn bell iawn oddi wrth eu gwreiddiau radical. Siawns na allwn gael plaid i'n cynrychioli'n well?"

Yn y dorf, gwenai Gladys wrth wrando ar ei ffrind yn dal ei dir. Ar ddiwedd y cyfarfod, wedi i eraill ei longyfarch, cafodd Aneurin gip arni a daeth ati i siarad.

"Diolch am ddod, Gladys, unwaith eto."

"Siaradaist yn arbennig o huawdl. Fe weli di fi yma'n amlach bellach – dwi wedi ymaelodi."

Cododd Aneurin ei aeliau mewn syndod, gan wenu.

"Wel wir, dyna fi wedi llwyddo efo un ohonoch chi, Ferched y Sgrech a'r Twrw! Oes gobaith dal y ddwy arall, tybed?"

"Eisiau i ti gyfeirio mwy at frwydr y merched sydd. Soniaist ti'r un gair am hynny yn dy araith."

Edrychodd Aneurin ar y llawr.

"Mae hynny'n feirniadaeth gwbl deg. Digwydd bod yn hynod amhoblogaidd ydych chi dyddiau yma, ac mae'n anodd fel y mae hi i ddenu aelodau newydd."

"Wel, nes y gwnewch chi, ddaw Henriét a Maude ddim i wrando arnat!"

Symudodd y ddau i wneud lle i'r dynion gasglu'r cadeiriau.

"Be barodd i ti ymaelodi, os ca i fod mor hy â gofyn?"

"Sylvia Pankhurst yn un rheswm. Mae hi'n fwy o Sosialydd na'r gweddill."

"Mae rhwyg go ddwfn yn y mudiad merched, does?"

"Mae'n chwerw iawn. Ond mae'n siŵr fod hynny i'w ddisgwyl o bobl bengaled ... ac mae Christabel Pankhurst wedi ffoi i Ffrainc."

"Felly ro'n i'n clywed. Sut mae'r tair ohonoch yn setlo yn eich llety newydd?"

"Bydd yn rhaid i ti alw. Mae'n dipyn mwy cyfyng arnon ni, yn naturiol, a dwi wedi cymryd gwaith glanhau i ennill fy nhamaid ..."

"Sut mae dy fam?"

"Dal ati – fel erioed. Hi ddylai fod yma, nid fi."

A chytunodd Aneurin.

Ar ei gliniau roedd Myfi'n glanhau'r lle tân. Ar ei gliniau roedd hi y rhan fwya o'r amser. Naill ai'n glanhau'r lloriau, neu'n cael ei churo gan ei gŵr. Ar ddiwedd y dydd, ar ei gliniau'n gweddïo yr oedd, ond roedd hwnnw'n deimlad gwahanol. Yn ystod y dydd, plygu i bobl uwch ei phen roedd hi; wrth gael ei chamdrin gan ei gŵr, plygu i'w gŵr a wnâi. Wrth ddweud ei phader, gweddïai am faddeuant am ei phechodau, gan addo ceisio byw yn well. Ond waeth befo pa mor galed y ceisiai, ar ei gliniau roedd hi yr un fath.

Yr unig beth braf yn ddiweddar oedd fod Gladys wedi dod ati i weithio, ac roedd hynny wedi bod yn gysur di-ben-draw i Myfi. Bechod iddi fethu parhau efo'i haddysg, ond mae'n siŵr fod honno'n ormod o freuddwyd i ddod yn wir. Heblaw am yr hen ddyn brwnt hwnnw yn y siop, falle y byddai wedi gwneud rhywbeth ohoni'n fan'no. Ond fu Gladys erioed yn un i gadw'n dawel.

Wedi iddi adael cartref ar ôl i Abel droi arni, collodd ei chwmni'n ddychrynllyd – roedd Gladys megis chwaer iddi. Ond byddai Abel wedi torri ei hysbryd yn llwyr. Dyna pam roedd Myfi'n falch fod ei merch efo'r Syffrajéts – roedd yn ffordd o sianelu'r tân a'r angerdd oedd yn llosgi ynddi. Ni fyddai gan Myfi ei hun fyth yr asgwrn cefn i wneud y fath beth, ond pwy wyddai? Rhyw ddydd. Y peth pwysig oedd fod Gladys yn dal yn Gladys, ac er ei bod wedi goddef llawer, doedd hi ddim wedi colli dim o'i sbarc, a'i gallu i chwerthin.

Tra bo Gladys yn gwmni iddi, roedd modd i Myfi gario 'mlaen.

Pennod 29

Pam oedden nhw'n ein curo mor galed, wn i ddim. Doedd dim angen gwneud. Weithiau teimlwn eu bod yn cael rhyw foddhad o'n taro, fel sbort – fel cath yn chwarae efo llygoden cyn ei lladd. Ac roedd y casineb yn brifo mwy na'r briwiau. Roedd y cleisiau a'r briwiau'n hynod boenus, ond roedd y casineb roedden nhw'n ei gynrychioli'n llawer gwaeth. Beth wnaethon ni oedd mor ddrwg? Dim ond sefyll ar ein traed a gweiddi am ein hawliau. Oedd o'n beth mor ddychrynllyd â hynny?

"Tyrd i gael gêm o gardiau efo ni," meddai Henriét, a golwg ddigalon arni.

"Rhywun wedi gorffen ei gwaith cartre, tybed?" holodd Gladys gyda gwên. "Dwi eisiau gorffen y llythyr yma'n gynta." Roedd y bwrdd ar ganol y stafell yn llawn o lyfrau a phapurau, a'r tair o'i gwmpas wedi bod yn brysur yn ysgrifennu.

"Mae gormod i'w wneud, dwi'n cyfadde," meddai Maude, yn rhwbio ei llygaid mewn blinder.

"Mi fedr o aros tan fory, siawns," meddai Henriét.

"Does dim amser i'w wneud yn ystod y dydd, nag oes?" meddai Gladys, gan edliw gyda'i llygaid. Yr olwg honno a barai i Henriét deimlo'n euog nad oedd yn gwneud digon.

"Rho chwarter awr i mi," meddai Gladys, "achos os na

fydda i'n gorffen hwn heno, fydd o 'mond yn aros amdana i bore fory."

Gwyliodd Henriét hi'n crychu ei thrwyn wrth sgwennu mewn ystum oedd mor nodweddiadol ohoni. Roedd hi a Maude yn Syffrajéts llawn amser i bob pwrpas bellach.

"Mae'n braf cael noson heb gyfarfod i ddal i fyny efo'r gwaith papur," meddai Maude.

Roedden nhw wedi dysgu cymaint yn ystod yr wythnosau dwytha, yn darllen adroddiadau, yn ymhel â deddfau, yn sgwennu llythyrau at bobl bwysig.

"Oes rhywbeth y galla i ei wneud i helpu?" holodd Henriét.

"Mi fedri fwrw golwg dros hwn – braslun o lythyr – a'i gywiro, wedyn cei wneud paned o siocled poeth i'r tair ohonon ni."

"Sut aeth hi yng nghyfarfod y Blaid Lafur noson o'r blaen?" holodd Maude.

"Siaradodd Aneurin yn arbennig o dda. Ond roedd rhai o'r chwarelwyr yn amheus a oedd angen plaid newydd. Ddeudais i wrtho 'mod i wedi ymaelodi – roedd o'n falch iawn. Holi oedd o pryd oeddech chi'ch dwy am wneud."

"A be ddywedaist ti?" holodd Maude yn chwareus.

"Nad oedd yn debygol iawn ar hyn o bryd," atebodd.

"Soniodd o rywbeth am hawliau merched yn ei araith?"

"Naddo, a chafodd gerydd haeddiannol am hynny."

Cododd Maude ei llygaid yn ddiamynedd.

Yn y man, daeth Henriét drwodd efo paneidiau o siocled poeth ar hambwrdd.

"Gêm o gardiau rŵan?" holodd yn obeithiol, a chwarddodd y lleill.

"Oes 'na fisgedi ar ôl?" holodd Maude yn obeithiol.

"Ddaru ni bwyta nhw i gyd y noson o'r blaen."

"Gwell clirio'r papurau 'ma," meddai Maude. "A dwi eisiau rhannu hwn efo chi ..." Tynnodd bapur o'i phoced. "Dwi wedi canfod digwyddiad fydd yn rhoi cyfle inni gau ceg Lloyd George unwaith ac am byth."

"Dwi ddim eisiau *gweld* Lloyd George eto!" meddai Henriét. "Mae'r dyn yna wedi achosi mwy o drwbwl i mi'r haf hwn na neb arall."

"Does dim rhaid i ni fynd ymhell," meddai Maude. "Dim ond siwrne o hanner awr. Agor Neuadd Llanystumdwy mae o."

"Fydd 'na ddim cymaint o heddlu yno, na fydd?" holodd Henriét.

"Dwi ddim mor siŵr – mi fyddan nhw'n ein disgwyl, cei fod yn siŵr o hynny," atebodd Maude.

Aeth Gladys i chwilota am rywbeth yn lle'r bisgedi.

"Pam mae dyn mor bwysig yn mynd i agor neuadd mewn pentref mor fach, Maude?" gofynnodd Henriét.

"Am mai un o Lanystumdwy ydi o," atebodd.

"O diar, rydan ni ar ein ffordd i ffau'r llewod, tydan? Pryd mae hyn?"

"Wythnos nesa, yr ail ar hugain o Fedi."

A doedd Llanystumdwy yn ddim gwahanol i unrhyw bentref bach cefn gwlad arall yng ngogledd Cymru, efo'i dafarn a'i gapel a'i ysgol a'i neuadd goffa newydd sbon.

Yn y papur y diwrnod cyn yr achlysur, roedd y rhybudd yn ddigon clir. Yn ôl y *Daily Mail*:
'If the Suffragettes do come to this hamlet tomorrow it will be at the risk of their lives. There will be an enormous

gathering of Welshmen and Welsh women collected – men from the quarries, the hills, and the pastures to whom Lloyd George is something more than a man, to whom he is a national institution.'

Ond pa ddewis oedd yna? Hwn oedd y Canghellor, ac roedd yn gwrthod rhoi'r bleidlais i ferched. Roedd yn rhaid iddo glywed y neges.

Daeth Dyn y Mwstásh, a daeth y merched, a bu'r un halibalŵ ag a fu yn y Steddfod ac ym Mhafiliwn Caernarfon. Dim ond bod y dorf wedi colli ei phwyll y tro hwn a mynd dros ben llestri yn llwyr.

Roedd maint y dorf yn llawer rhy fawr i'r pentref, rhywsut, felly roedd lot o wasgu ac o wthio cyn i neb godi ei lais. Dechreuodd Lloyd George annerch, a dyma'r merched yn gweiddi, 'Pleidlais i Ferched', ac yna ffrwydrodd yr olygfa. Trodd y dorf yn un haid ar y merched gan ymosod yn ffyrnig arnyn nhw. Nid ffon yma ac acw oedd hi'r tro hwn, ond dyrnu, cicio, rhwygo dillad, tynnu gwallt, crafu, gwawdio – popeth.

Mwya sydyn, yng nghanol yr helynt, teimlodd Henriét ei hun yn cael ei chodi ar ysgwyddau rhai o'r dynion.

"I'r afon â hi!" gwaeddent.

"Boddwch y witsh!" bloeddiodd rhywun arall.

Dychrynodd Henriét, a strancio er mwyn iddyn nhw ei gollwng, ond roedd gafael y dynion arni'n gadarn. Gallai deimlo rhywun yn gafael fel gelen yn ei fferau a'i hysgwyddau, ond roedd hi hefyd yn teimlo ambell law yn cyffwrdd yn ei bronnau ac yn tynnu ei blows.

"We'll teach you English people to come here and codi twrw!" meddai un yn gras.

Rhywsut, canfu Henriét ddigon o nerth i weiddi "Cymraes ydw i, yn neno'r Tad!"

Cafodd ei llais effaith trydanol. Gollyngwyd hi'n galed ar y llawr.

"Cymraes ydi hi, myn uffar i!"

Ond pharodd y sioc ddim yn hir.

"Mae'n dal i ddod â gwarth arnon ni, y gnawes front!"

"Mi ddylai hon wbod yn well!"

Ac er i'r dorf lacio, daeth eraill ati a'i chicio a thynnu ei gwallt. Roedd hi'n cael ei dyrnu, ac roedd y sgidiau hoelion mawr yn frwnt.

Llanwodd ei ffroenau â mwd, a bu bron iddi lewygu.

"Rhowch y gorau iddi, plis, gadwch imi fod ... dwi'n brifo."

Golygfa druenus oedd yna ar ddiwedd y cyfarfod, ac wrth i'r dorf droi am adre roedd nifer o'r merched yn dal ar y llawr.

"Cywilydd arnoch," meddai un wraig, gan boeri arnyn

nhw a sathru llaw un yn fwriadol. "Go home, you're not wanted here."

Daeth yr heddlu atyn nhw a chredodd Henriét ar y dechrau eu bod am eu helpu, ond y cwbl roedd yr heddlu am ei wybod oedd eu henwau.

"Henriéta Hughes, I'm afraid I'll have to arrest you on a charge of breaching the peace."

Pennod 30

I Gladys, wedi profiad Llanystumdwy, doedd dim troi'n ôl. Lluchiodd ei hun i'r gwaith gorff ac enaid, yn y modd roedd llawer o Syffrajéts yn ei wneud. Hon oedd yr unig frwydr i'w hymladd, a Lloyd George ac Asquith oedd y targedau. Doedd hi byth am faddau nac anghofio profiadau haf 1912.

Ni fu Henriét chwaith 'run fath wedi Llanystumdwy. Os gallai pobl Sir Gaernarfon, dilynwyr Lloyd George, eu trin felly, yna ni fedrai uniaethu â nhw o gwbl. Roedden nhw wedi ochri efo treiswyr, roedden nhw wedi gweld merched yn cael eu camdrin, ac wedi sefyll o'r neilltu. Doedd ganddi ddim parch at bobl o'r fath.

Wedi darllen yr hanes dychrynllyd yn y papurau – roedd lluniau o'r brotest ym mhapurau Lloegr – trefnodd Aneurin i'w gweld yng Nghaffi Carltons, ac roedd yn llawn consyrn.

"Henriét, rwyt ti'n gleisiau byw! Beth ddigwyddodd?"

Mor wahanol oedd hwn i'r cyfarfod rai misoedd ynghynt! Archebodd Aneurin ddwy baned o de, ond clywed yr hanes oedd y peth pwysig iddo. Ysgydwodd ei ben mewn anghrediniaeth wrth i Henriét adrodd yr hanes. Roedd yn waeth na disgrifiad y gohebydd.

"Ro'n i'n teimlo erbyn y diwedd fel taswn i'n bêl-droed. Roedden ni'n gleisiau byw. Mi lewygodd Gladys."

"Mae'r peth yn warth. Stori go unllygeidiog sydd yn y papurau."

"Dydi hynny ddim yn fy synnu."

Am dipyn, roedd y ddau'n dawel.

"Mi ddylwn fod wedi bod yno," meddai Aneurin.

"Ond dydych chi byth, nag ydych? Mae digon yn ein cefnogi, ond yn y brotest ei hun dim ond merched sydd yna, ac mae croeso i unrhyw un ein trin fel y myn."

Gafaelodd Aneurin yn ei llaw.

"Henriét – wn i ddim beth i'w ddeud. Gwyddwn y byddet ti yno, ond ro'n i'n rhyw hanner gobeithio y byddech chi ar y cyrion. O'ch nabod, siŵr iawn eich bod yn ei chanol. Dyna natur y ddwy ohonoch ..."

Am ryw reswm, roedd consyrn Aneurin yn peri i Henriét fod yn llawer mwy teimladwy. Doedd o erioed wedi gafael yn ei llaw o'r blaen. Dychrynodd ei hun wrth ddechrau crio.

"Aneurin ... wn i ddim sut i ddeud hyn, ond dwi'n teimlo'n fudur ar ôl yr holl beth! Mae o fel tasa eu casineb nhw wedi treiddio i mewn i ni, rywsut. Roedd y cicio a'r brathu a'r tynnu gwallt yn brifo, ond roedd o'n llawer gwaeth na hynny. Wn i ddim sut i'w egluro. Wn i ddim pam dwi'n crio."

"Am dy fod ti mor ddewr drwy'r amser, ac yn cuddio dy boen. Dwyt ti ddim wedi trio ei roi mewn geiriau o'r blaen, naddo?"

Ysgydwodd Henriét ei phen a chwythu ei thrwyn. Ofnai fod pobl yn edrych arni. Roedd yr olwg ar ei hwyneb yn ddigon i dynnu sylw.

"Naddo, falle mai dyna sy'n bod. Dwi a Gladys wedi siarad am y peth, ond ceisio cynnal y naill a'r llall ydan ni, a cheisio rhoi'r profiad y tu cefn inni. Mae siarad efo ti'n gwbl wahanol ..."

"Mae'n swnio'n erchyll."

"Aneurin," meddai, gan edrych arno, "dwi eisiau mynd o'ma. Dwi'n gwneud sioe ohonof fy hun ..."

"Ond dwi eisiau siarad efo ti."

"Ddim yn fan hyn. Gawn ni fynd am dro?"

A dyna ddaru nhw – mynd i dop y mynydd ar gyrion y dref, a chafodd Henriét gyfle i fwrw ei bol.

"Dwi'n meddwl ei fod o'n waeth am eu bod nhw'n Gymry. Cymry oedd yn G'narfon ac yn y Steddfod hefyd, ond chawson ni mo'n brifo i'r fath raddau – rhyw ambarél neu ddwy oedd yno, ac ambell ffon ... Ond roedd Llanystumdwy yn hollol wahanol – ro'n i'n poeni am fy mywyd ambell waith."

"Doeddwn i ddim yn siŵr ai gor-ddeud oedden nhw yn y papur newydd, ond yn amlwg ddim, o ran beth wyt ti wedi ei ddeud."

Edrychodd Henriét ar Aneurin, a gofyn y cwestiwn oedd yn ei phlagio bob dydd:

"Pam, Aneurin? Pam maen nhw'n ein casáu ni gymaint?"

"Henriét fach, mae 'nghalon i'n gwaedu drosot! Ti mor obeithiol ac mor ddifeddwl-drwg! Mae 'na ddynion allan yn fan'no sy'n eich gweld fel bygythiad go iawn. Dydyn nhw ddim am i ferched fod yn ddim mwy na diddanwch a doliau del ar silff. Nhw sy'n deall politics, nhw sy'n trefnu'r byd, ac mae'r drefn fel y mae hi'n ei siwtio nhw i'r dim. Dydyn nhw ddim eisiau chi'n agos at eu tiriogaeth, rydych chi'n fygythiad."

"Ti'n meddwl bod yna rai felly o ddifri?"

"Dyna pwy oedd yn eich curo chi yn Llanystumdwy – pobl sydd am weld merched yn cadw at eu lle priodol ac mae'n werth eich colbio os ydych chi'n mynd dros y tresi."

Edrychodd y ddau ar yr olygfa oddi tanynt. Teimlodd Henriét fel ei bod ar gwmwl ac yn edrych i lawr ar bobl y dref.

"Mae o'n fyd drwg iawn os ydi hynny'n wir."

"Ydi mae o, Henriét."

"Dwi'n meddwl 'mod i'n gwbod hynny, ond dwi ddim *eisiau* ei gredu. Dwi eisiau i bobl fod yn gweithio ar y cyd er mwyn gwella petha – i bawb. Fel rwyt ti – a Gladys, a Maude."

"Mi rydan ni. Ond mae yna eraill sy'n anghytuno efo ni, ac maen nhw'n gallu bod yn ffyrnig, fel y gwelaist."

"Dydan ni ddim eisiau rheoli'r byd, dim ond cael bod yn hanner y boblogaeth. Dydi o ddim yn gofyn gormod, nac ydi?" meddai Henriét.

"Lot gormod, yn ôl rhai. A dwi'n meddwl ei fod o'n rhywbeth rhywiol hefyd."

Teimlodd Henriét ei hun yn gwrido. Doedd hi ddim wedi mentro trafod pethau fel hyn efo dyn.

"Mae merched di-rym yn betha y gellir eu defnyddio, a'u cadw dan reolaeth. Mae merched sy'n mynnu eu hawliau'n cael eu gweld fel sialens i'w gwrywdod – paid â gofyn i mi pam. Sut arall mae egluro dyn fel Asquith?"

Edrychodd Henriét ar y dref oddi tani, ar batrymau strydoedd roedd hi'n eu hadnabod yn iawn, ond a edrychai'n wahanol o ben y bryncyn. Roedd trafod pethau efo Aneurin yn gwneud iddi edrych o'r newydd ar y sefyllfa, ac roedd hi'n falch o'r cyfle.

"Poeni am Gladys ydw i," meddai Henriét. "Mae hi'n

gorweithio, yn gyrru ei hun i'r pen, a fydd ei hiechyd hi ddim yn dal. Mae hi eisiau troi at ddifrodi petha rŵan. Dim ffenestri'n unig, ond eiddo."

"Fedri di ddeall pam."

"Methu gweld ei ben draw o ydw i."

Rhoddodd Aneurin ei fraich am ei chanol.

"Paid ag anobeithio, dyna'r unig beth ydw i'n ei ddeud. Chi'ch dwy sy'n fy nghadw i i fynd. Paid dithau a gweithio gormod chwaith. Ti'n golygu llawer iawn i mi."

Ar hynny, gwnaeth Aneurin beth annisgwyl iawn. Trodd ati a rhoi cusan ar ei gwallt.

Trodd Henriét i edrych arno mewn syndod.

"Pam wnest ti hynny?"

Cododd Aneurin ei ysgwyddau. Roedd cymaint o syndod ar wyneb Henriét fel y bu raid iddo chwerthin.

"Mi wyddost ti'n iawn 'mod i wedi colli 'mhen yn lân efo ti – ers blynyddoedd."

Rhyfeddodd Henriét at yr wybodaeth hon.

"Efo fi? Ro'n i'n meddwl mai Gladys oeddet ti'n ei lecio!"

Crychodd aeliau Aneurin.

"Pam?"

"Am mai hi ydi'r un fwya diddorol ohonon ni," atebodd, "ac mae hi wedi ymaelodi efo'r Blaid Lafur."

Chwarddodd Aneurin.

"Ew, ti'n hogan ryfedd. Dwi'n ddigon ffond o Gladys, ydw, ond dwi'm yn teimlo *felly* tuag ati ... Ro'n i'n meddwl dy fod yn gwbod ers hydoedd 'mod i wedi gwirioni arnat ti."

Dechreuodd Henriét gerdded ymaith.

"Dwi'n teimlo'n wirion rŵan," meddai.

"Mi ddylet. Fasa rywun dall wedi gweld 'mod i'n ffond ohonot."

Ac eto, yn gymysg â'r teimlad gwirion, roedd Henriét yn ymwybodol o iâr fach yr haf yn dawnsio tu mewn iddi, a haul cynnes yn tywynnu a blodau'n chwifio'n wyllt yn y gwynt.

Cyflymodd cam Aneurin wrth geisio cyd-gerdded â hi. Rhoddodd ei fraich ar ei hysgwydd.

"Hen daclau oedden nhw, yn dy frifo. Af i byth i Lanystumdwy eto, wna i ddim maddau iddyn nhw," ac fe'i cusanodd yn ysgafn ar ei gwallt. "Ga i wneud hynny?"

"Cei, Aneurin, a diolch am bob dim." Ochneidiodd. Roedd o'n braf gwybod i sicrwydd ei fod yn hoff ohoni. "Ond dwi mewn trwbwl go iawn rŵan."

"Am 'mod i wedi rhoi sws i ti?"

Ysgydwodd Henriét ei phen.

"Naci siŵr. Am 'mod i wedi fy arestio yn Llanystumdwy."

"O diar ..."

"Felly dwi wedi ffraeo efo fy rhieni, wedi symud oddi cartre, mae golwg fel gwrach arna i, dwi ar fin cychwyn yn y coleg, sgen i ddim ceiniog – a dwi wedi fy arestio."

Trodd i wynebu Aneurin.

"Dwi wedi gwneud llanast go iawn o 'mywyd, do?"

"Mae'n swnio'n eitha llanast o'i roi felly," cytunodd Aneurin, "ond ..."

"Ond beth?"

Cododd Aneurin ei ysgwyddau eto.

"Wn i ddim ... ond dydan ni ddim yn bobl sy'n torri'n calonnau, nac ydan? Mi ddown ni drwyddi, rywsut."

Sylwodd Henriét ar y defnydd o 'ni'. Roedd o'n deimlad

clên ei glywed yn dweud hynny, ond ni wyddai beth allai Aneurin ei wneud i'w helpu chwaith.

"Achos, Henriét, dyna mae'r Sefydliad eisiau inni feddwl, 'te? Y cawn nhw ein cicio a'n harestio a'n gormesu a'n carcharu hyd yn oed er mwyn torri'n calonnau. Ond os ydi'r mudiad hawliau merched wedi dysgu rhywbeth i mi, mae o wedi dangos sut gall merched ddod drwyddi a goroesi, beth bynnag gaiff ei daflu atyn nhw."

Rhoddodd Henriét bwniad ysgafn ym mraich Aneurin. "Hei, ti'n dod yn dipyn o Syffrajét!"

"Ar ôl hyn, dwi'n meddwl y gwna i gymryd y mater dipyn mwy difrifol. Ond mae gen i lawer i'w ddysgu – os byddwch gystal â bod yn athrawes i mi, Miss Hughes."

"Â chroeso, Mr Edwards," a seliwyd y fargen efo cusan.

Law yn llaw, cerddodd y ddau i lawr y bryn.

Pennod 31

"'Pan ddêl Mai â'i lifrai las
Ar irddail i roi'r urddas,
aur a dyf ar edafedd ...'"

Gwrandawodd Henriét mewn rhyfeddod ar lais yr Athro John Morris-Jones yn adrodd y gerdd, a hynny mewn llais mor lesmeiriol. Roedd y ffaith i'r gerdd gael ei sgwennu chwe chan mlynedd ynghynt yn rhoi mwy o wefr fyth iddi. Yn stafell ddosbarth y coleg roedd hi, newydd gychwyn ar ei chwrs, ac wedi gwirioni'n lân.

"Now, we believe that Dafydd ap Gwilym was the poet that composed these words, and you may well have noticed that it's written in cynghanedd," meddai'r athro, a sylweddolodd Henriét mai ei hathro oedd awdur y gerdd ddysgon nhw yn yr ysgol ers talwm:

'Cwsg ni ddaw i'm hamrant heno,
Dagrau ddaw ynghynt,
Wrth fy ffenestr yn gwynfannus
Yr ochneidia'r gwynt.'

Y dyn a ddarlithiai rŵan sgwennodd y geiriau hynny, y geiriau gafodd gymaint o argraff ar Gladys nes iddi grio! Meddyliodd Henriét mor braf fyddai cael ei ffrind yn eistedd drws nesaf iddi'r eiliad hon, a braf fyddai rhannu'r mwynhad. Ond roedd Gladys wrthi'n rhywle yn golchi'r llawr neu'n ysgwyd matiau. Gyda'r nos, byddai Henriét yn rhannu'r hyn a ddysgodd efo Gladys, a byddai hynny'n rhoi boddhad i'r ddwy. Arferai Gladys ddatgan ei bod yn gwneud y cwrs BaM – Bwced a Mop, ac yn fyfyriwr gyda'r nos. Roedd yn dda ei bod yn gallu chwerthin am y sefyllfa.

Derbyniodd Gladys y ffaith fod ei ffrind gorau ac Aneurin bellach yn canlyn gyda llawenydd mawr, a chwarddodd pan ddywedodd Henriét ei bod yn credu mai Gladys oedd wedi mynd â bryd Aneurin. Eu gweld nhw wedi bod yn araf ar y naw yn dod yn gwpwl oedd unig sylw Maude. Drwy berswâd Aneurin, roedd tad Henriét wedi cytuno i dalu ffioedd y coleg, ac roedd Aneurin wedi cael cyfaill oedd yn gyfreithiwr iddo i weithio'n galed ar achos Llanystumdwy. Drwy ddyfalbarhad, roedd y cyfaill wedi gallu perswadio'r erlyniad i beidio dwyn achosion yn erbyn Gladys a Henriét, yn bennaf oherwydd eu hoedran. Bu hynny'n faich mawr oddi ar ysgwyddau'r ddwy, a theimlodd Henriét fod ei chyfnod yn y coleg yn cychwyn efo llechen lân.

Pan ddaeth adre ar y bws gyda'r nos, roedd Maude yn brysur yn gwneud cynlluniau i fynd i Lundain eto. Roedd rali enfawr i gael ei chynnal yn yr Albert Hall a Mrs Pankhurst yn annerch. Amser te, darllenodd Maude y llythyr oedd yn rhoi manylion yr ymweliad.

"Be gest ti yn y coleg heddiw?" holodd Gladys, wrth daenu jam ar ei brechdan.

"Wyt ti'n cofio'r gerdd 'Cwsg ni ddaw i'm hamrant heno'?"

"Wrth gwrs 'mod i!", ac er mawr ddifyrrwch i Maude, adroddodd y ddwy y gerdd fel petaen nhw mewn parti adrodd.

"Y pennill olaf oedd fy ffefryn i," meddai Gladys:

"'Pam y deui, wynt, i wylo
At fy ffenestr i?
Dywed im, a gollaist tithau
Un a'th garai di?'

Glywaist ti rywbeth mor drist erioed?"

"Roeddet ti yn dy ddagrau ... a Miss Williams Welsh yn smalio nad oedd wedi sylwi! Wel, y bardd sgwennodd y geiriau hynny oedd yn darlithio inni heddiw!"

"John Morris-Jones?"

"Ia, ond ar farddoniaeth Dafydd ap Gwilym roedd o'n traethu."

"Dwi ddim wedi clywed ei waith o ..."

"Mi wna i adrodd rhai o'i gerddi heno – mi fyddi wedi gwirioni. Pasia'r jam ..."

"Mae'n deud yn y llythyr 'ma," meddai Maude, "fod modd i un ohonoch chi deithio efo mi, ond nid y ddwy ohonoch chi, yn anffodus."

Edrychodd Henriét a Gladys ar ei gilydd. Roedd taith i Lundain yn wefr go fawr. Ac roedd y cyfle i glywed Mrs Pankhurst yn gwneud y daith yn fwy arbennig fyth.

"Gaiff Gladys fynd," meddai Henriét yn sydyn. "Mae hi

wedi gwirioni ei phen efo Llundain."

Edrychodd Gladys ar ei phlât.

"Ond Henriét ydi ffan mawr Mrs Pankhurst ..."

"Rhyngoch chi'ch dwy mae'r penderfyniad, dwi ddim yn dewis."

"Waeth i ti fynd, Gladys. Mae gen i waith coleg i'w wneud. Fedri di gael caniatâd i fynd?"

"Mi fyddwn wrth fy modd yn cael mynd, mae'n wir – wyt ti'n siŵr dy fod yn hapus efo hynny?"

"Wrth gwrs 'mod i," meddai Henriét. "Mae 'coleg bwced a mop' yn gallu bod yn ddiflas weithia," a rhoddodd winc iddi. Roedd Henriét yn cael bywyd digon hawdd, roedd Gladys yn haeddu'r trip.

"Cofiwch, y ddwy ohonoch – dwi eisiau'r holl hanes pan ddowch yn ôl!"

A dyna gafodd Gladys ar ddiwrnod y daith – dipyn o seibiant oddi wrth y polish a'r bwced a mop. Eisoes, roedd y dŵr a'r sebon wedi gwneud ei dwylo'n goch ac yn arw, ac ni fyddai unrhyw eli'n adfer eu meddalwch. Nid oedd mor flinedig â'i mam, ond roedd y cario glo a'r bwcedi dŵr, heb sôn am y curo matiau, yn waith corfforol trwm, a byddai'n aml wedi ymlâdd wrth gyrraedd adre o'r gwaith. Er hynny, cysurai ei hun nad oedd yn sefyll ar lawr ffatri drwy'r dydd; o leiaf, doedd hi ddim yn ei hunfan, a châi symud o gwmpas.

Hwn oedd y tro cynta i Gladys a Maude gael mynd i mewn i'r Albert Hall, a chafodd y ddwy eu synnu gan grandrwydd y lle. Braf oedd gweld y lle'n llawn, a châi Maude ei hysbrydoli bob tro o fod yng nghwmni cannoedd o Syffrajéts, a gweld eu baneri hardd a chanu'r caneuon. Ar y llwyfan, dan organ ysblennydd, roedd baneri anferth gwyrdd, piws a gwyn, a'r un ganol efo'r neges 'Arise! Go Forth and Conquer!' mewn llythrennau bras.

O weld Mrs Pankhurst yn codi ar ei thraed, tawelodd pawb. Roedd ganddynt barch aruthrol at eu harweinydd, er mor llym y gallai fod. A hithau dros ei hanner cant, wedi bod yn y carchar, wedi colli ei chwaer yn y frwydr, a'i merch yn alltud yn Ffrainc, roedd yn dal ati i deithio o gwmpas i annerch. Adroddodd sut y denwyd hi i'r ymgyrch gynta:

"Un o Warchodwyr Deddf y Tlodion oeddwn i pan gychwynnais yr ymgyrch hon, ac un o'm dyletswyddau oedd ymweld ag ysbyty'r wyrcws. Anghofiaf i fyth weld merch dair ar ddeg oed yn gorwedd ar wely ac yn chwarae efo dol – dywedodd wrthyf ei bod ar fin dod yn fam, a'i bod wedi heintio efo afiechyd enbyd, ac am roi genedigaeth, mae'n debyg, i blentyn fyddai wedi ei heintio yn ogystal. Onid oedd hynny'n ddigon i'm gwneud yn Syffrajét filitant?"

Edrychodd Gladys ar Maude mewn dychryn.

"Ro'n i wedi clywed y stori, ond erioed wedi clywed hi'n cael ei hadrodd gan Mrs Pankhurst ei hun," sibrydodd Maudc.

Tua diwedd ei haraith, soniodd am flaenoriaethau'r Llywodraeth:

"Fel Syffrajéts mae gennym genhadaeth fawr – y genhadaeth fwya a welodd y byd erioed, sef yw hynny rhyddhau hanner y ddynoliaeth, a thrwy'r rhyddid hwnnw, ryddhau'r gweddill ... Mae yna rywbeth mae'r Llywodraeth yn ei drysori'n fwy na bywyd dynol, a diogelu eiddo yw hynny, felly drwy eiddo, byddwn yn taro'r gelyn. Byddwch yn filitant yn eich ffordd eich hun ..."

Yna, cyrhaeddodd uchafbwynt:

"Y sawl ohonoch fedr dorri ffenestri – torrwch nhw! Y sawl fedr fynd ymhellach ac ymosod ar yr eilun cudd hwnnw – eiddo – gwnewch hynny. Fel y gwêl y Llywodraeth fod eiddo mewn cymaint o berygl ag yr oedd gan y Siartwyr mewn dyddiau a fu ..."

Edrychodd Maude ar Gladys a gweld ei bod yn llygadrythu ar y llwyfan, fel un wedi ei swyno'n llwyr.

"Dyma fy ngair olaf i'r Llywodraeth. Rydw i'n annog y cyfarfod hwn i wrthryfela! Dyna wnaeth gwrthryfelwyr Ulster, a dydych chi ddim wedi eu cymryd nhw. Os meiddiwch, cymrwch fi ..."

Yn wyneb bonllef o gymeradwyaeth, safodd Mrs Pankurst yno'n herfeiddiol, a synnwyd Gladys gan ei dewrder. Dyma hi, yn wyneb haul, llygad goleuni, yn annog gwrthryfel, ac yn herio'r Llywodraeth i'w harestio. Doedd dim stop ar y ddynes! Sut gallai fod mor ddewr?

Yng nghanol y gymeradwyaeth, trodd Gladys at Maude. "Mae'n rhaid i mi wneud rhywbeth, Maude, mae'n rhaid i mi!"

"Ti wrthi ddigon caled fel rwyt ti, chwarae teg."

"Chwarae plant ydw i'n ei wneud, dydi o'n ddim byd o'i gymharu â hi!"

Wrth iddyn nhw adael yr Albert Hall a cherdded lawr y grisiau, rhybuddiodd Maude hi:

"Nid pawb ohonom fedr fod yn Mrs Pankhurst, a dwi ddim yn siŵr os ydyn ni eisiau mwy nag un ohonyn nhw!"

Ond anwybyddu gwawd ei ffrind wnaeth Gladys. Roedd

Mrs Pankhurst wedi siarad yn uniongyrchol efo hi. Canai ei geiriau yn ei phen. "Y sawl ohonoch fedr weithredu ymhellach – gwnewch hynny!"

Roedd yn rhaid iddi ateb yr her.

Pennod 32

"Gwneud beth?" holodd Henriét yn anghrediniol.

"Llosgi tŷ Lloyd George," atebodd Gladys.

Caeodd Henriét ei llygaid.

"Fedri di ddim bod o ddifri."

"Dwi 'rioed wedi bod mwy o ddifri."

Ac wrth edrych i fyw llygaid ei ffrind, gwyddai Henriét ei bod yn dweud y gwir.

Ai dyna lle y dylwn fod wedi rhoi 'nhroed i lawr? Ai dyna oedd y foment lle dechreuodd pethau fynd o chwith? Dwi wedi troi'r cyfan gymaint yn fy meddwl – drosodd a throsodd, nes 'mod i wedi ei gorddi'n llwyr. Ond fyddwn i byth wedi gallu ei rhwystro – unwaith roedd Gladys wedi penderfynu rhywbeth, ni fyddai grymoedd mwya'r byd wedi ei hatal. Un felly ydoedd. Ac nid 'mod i'n amau fod llosgi'r tŷ ynddo'i hun wedi bod yn gam gwag, ond y pris dalodd Gladys druan am hynny ...

Dydd Calan 1913 oedd hi, a Henriét, yn ddigon diniwed, wedi holi beth oedd addunedau Gladys. Doedd hi ddim wedi disgwyl yr ateb a gafodd.

Byth ers clywed Mrs Pankhurst yn Llundain, roedd Gladys wedi dioddef gwewyr meddwl am nad oedd yn gwneud digon dros hawliau merched. Chawson nhw fawr o orffwys dros y Nadolig; teimlai Gladys fod yn rhaid iddi wneud rhywbeth, a hynny'n rhywbeth go ddramatig. Doedd Maude ddim yn ceisio ei hatal; yn wir, roedd yn cefnogi ei brwdfrydedd. Roedd pwyslais y mudiad wedi symud o gael eu harestio a'u carcharu i daro llefydd lle nad oedd modd eu cosbi am y weithred. Rhoddwyd blychau post ar dân, ac yna adeiladau.

"Tŷ Lloyd George yng Nghricieth?" gofynnodd Henriét.

"Naci, naci – ei dŷ gwyliau fo. Faswn i byth yn rhoi ei dŷ ar dân, wrth gwrs – mi wyddost ti nad ydan ni i fod i roi bywydau mewn perygl ..."

"Dyna pam nad oeddwn i'n deall – tŷ Lloyd George ddeudaist ti."

"Cartre Lloyd George ydi'r un yng Nghricieth. Mae ganddo dŷ yn 11 Downing Street, ond mae Dyn y Mwstásh eisiau tŷ arall eto fyth! Does dim digon i'w gael i rai!"

"A lle mae hwn?"

"Ym mhen arall y wlad, i'r de o Lundain, yn Walton Heath – wrthi'n cael ei godi mae o. Fydde neb ar gyfyl y lle."

"I be mae o eisiau tŷ yn fan'no?"

"I'w ffansi ledi, debyg iawn, ac mae o'n agos at gwrs golff reit dda," atebodd Gladys yn chwerw. "Ddylia fo ddim bod yn amhosib ... 'sgen ti ddiddordeb i ddod efo mi?"

"Fi?!"

"Paid â siarad fel tasat ti'n Dori rhonc! Ti'n Syffrajét ... mae yna job i'w gwneud ... ti'm yn lecio Lloyd George ..."

"Ond faswn i byth yn llosgi tŷ rhywun!" meddai Henriét yn groch.

Syllodd ei ffrind yn heriol arni.

"Pam ddim? Mae 'na ferched yn y carchar heddiw a'u bywydau yn y fantol am eu bod nhw'n cael eu bwydo drwy orfodaeth. Mae yna ddynion mewn llywodraeth yn caniátau i hyn ddigwydd. Unig obaith y merched hynny yw fod pobl fel ni ar y tu allan yn gwneud rhywbeth i'w helpu."

"Pam ddim?" Hwnnw frifodd fi – ac roedd Gladys yn gwybod hynny'n burion. Pam ddim? Ac roedd y cwestiwn hwnnw'n crogi fel bachyn uwch fy mhen am ddyddiau. Doedd gen i ddim ateb. Ro'n i'n gryf ac yn iach, ro'n i'n sengl, ro'n i ar gael, doedd neb yn dibynnu arnaf. Ro'n i wedi gweithredu o'r blaen, ro'n i'n erbyn peryglu bywyd, ac roedd yna sicrwydd yn yr achos hwn mai tŷ gwag oedd o. Yr unig beth oedd yn fy rhwystro oedd fy ofn. Brwydrais yn ei erbyn, bûm yn dadlau a dadlau, ond doedd dim troi yn ôl ar Gladys.

"Pam wyt ti mor awyddus i mi wneud y weithred efo ti, Gladys?"

"Does gen i neb arall, mi wyddost ti hynny."

"Oes yn Tad, mae Ellen yn fodlon gyrru car yno." Ellen oedd un o'r merched roedden nhw wedi dod yn gyfeillgar â hwy yn Llundain, ac yn ei chartref hi y buon nhw'n aros ar yr ymweliad cynta.

"Mae eisiau dwy i wneud y weithred. Does 'na ddim disgwyl i mi wneud popeth fy hun."

"Does 'na neb arall – neb o gwbl?"

"Tyrd yn dy flaen, Henriét – ti'n gwbod nad oes miloedd yn ciwio i weithredu!"

"Ond mae'r syniad o garchar yn codi ofn arna i!"

"Finna hefyd! Ond mae rhaid iddo ddigwydd rhywbryd – i ti ac i mi, 'dan i'n gwbod hynny. Ac o'r holl bobl ar y ddaear, fasa'n well gen i ein bod ni'n dwy dan glo efo'n gilydd. Fedra i mo'i wneud o ar fy mhen fy hun ... mwy nag y gallet tithau. Ond efo'n gilydd, mi fedrwn fynd drwy ddŵr a thân."

Edrychodd Henriét o'i chwmpas fel petai gwaredigaeth am neidio o'r wal neu lanio drwy'r ffenest, ond doedd dim yn dod, dim ond ofn dychrynllyd yn ei bygwth, fel petai'n aros amdani dan y carped.

"Ond be am y coleg?" gofynnodd, yn mynegi'r ofn mwya oedd ganddi.

"Beth amdano?"

"Mae'n golygu 'mod i'n peryglu 'nyfodol, tydi? Mae'n rhaid i mi ddewis ..."

"Ti'n lwcus yn cael dewis," meddai, fel cyllell, ac wrth gwrs, doedd gan Henriét ddim i'w ddweud. Yn waeth na hynny, roedd wedi cyffwrdd man gwan ei chyfaill. Gwyddai Henriét yn iawn fod ei bywyd moethus yn dibynnu ar y ffaith fod Maude yn darparu to uwch ei phen a Gladys yn slafio'n ddyddiol er mwyn cael bwyd ar y bwrdd.

Cafodd ddeuddydd i feddwl am y mater ond roedd rhaid rhoi gwybod yn fuan gan fod cynlluniau angen eu gwneud. Roedd y ddwy yn y gegin yn eistedd wrth y bwrdd, a Maude wedi mynd allan.

"Nid y syniad o garchar sy'n fy llethu, Gladys."

"Be 'ta?"

"Streic newyn. Wn i ddim sut mae'r merched yn gallu gwneud hynny."

"Paid â mynd o flaen gofid – falle na chawn ein dal, hyd yn oed. Mae yna siawns fechan fechan y gallwn wneud y peth a chael ein traed yn rhydd!"

"Ac mi rwyt yn sicr nad oes neb yn byw yno?" gofynnodd Henriét. Roedd hi'n chwilio am esgusodion bellach.

"Dydi'r tŷ ddim wedi gorffen cael ei godi eto."

"Ond mae'r syniad o roi rhywbeth ar dân ..."

Edrychodd Gladys i fyw llygaid ei ffrind.

"Dwi'n fodlon tanio'r fatsien. Dim ond cwmni ydw i eisiau, rhywun i sefyll wrth f'ochr ..."

Ac mi gytunais. Doedd 'run ohonon ni'n gwbl onest am y peth. Doedd y siawns o ddianc ddim yn debygol iawn. Os oedden ni wirioneddol eisiau osgoi streic newyn, yna'r ffordd sicraf oedd peidio mentro cael ein dal a'n rhoi dan glo. Ond roedd yna rywbeth ynom, ryw ysfa wirion i herio Ffawd. Ac wrth gwrs, o wneud hynny, mae Ffawd yn eich baglu, a'ch dal yn ei rhwyd ...

O Lundain, doedd hi ddim yn daith rhy bell i dŷ Lloyd George. Roedd Ellen wedi cytuno i yrru'r modur, ac er nad oedd ganddi lawer o brofiad, mi lwyddodd. Canfod y ffordd yn y tywyllwch oedd y peth anoddaf. Roedden nhw wedi gwneud yn siŵr mai rhifau ffug oedd ar y car. Mi ddaru nhw fynd heibio i blismon, a wnaeth o mo'u rhwystro, diolch byth. Ond roedd calon Henriét yn ei gwddf – doedd hi erioed wedi gwneud dim byd tebyg i hyn. Fel arall oedd Gladys; roedd hi'n ysu am gael gwneud y weithred, fel tasa hi'n bererindod roedd yn rhaid iddi ei chyflawni. Mater o gadw'r nerfau oedd hi wedyn.

Roedd trefnu'r weithred wedi bod yn gryn dasg – sicrhau fod ganddyn nhw betrol a digon ohono, matsys, powdr tanio, cadach i gynnau'r tân, a chanhwyllau, a chael Ellen yn gyfarwydd efo'r modur, ac astudio'r map drosodd a throsodd. Roedden nhw wedi cael tawelwch meddwl na fyddai neb ar gyfyl yr adeilad. Gan mai mis Chwefror ydoedd, roedd yn enbyd o oer, ac roedd y tair wedi eu lapio'n dda.

"Hwn ydi o!" meddai Gladys wedi cynhyrfu. Roedden nhw wedi pasio'r clwb golff fwy nag unwaith i wneud yn sicr eu bod yn cael y tŷ iawn. Os methent, y weithred lai difrifol oedd llosgi slogan ar lawnt y clwb golff. Gan fod clybiau o'r fath yn fannau hamdden yn benodol i ddynion, roedd llosgi gwair clwb golff wedi dod yn darged poblogaidd.

Y funud y stopiodd injan y cerbyd, roedd y tawelwch yn llethol, a gyda chan petrol yr un yn llaw Henriét a Gladys, dechreuodd y ddwy gerdded i fyny'r llwybr. Mewn dim o dro, clywsant sŵn traed yn rhedeg y tu ôl iddyn nhw.

"Rhed!" meddai Gladys, ond gyda'r tuniau trwm, anodd oedd gwneud hynny.

"Gladys!" gwaeddodd llais merch, a throdd y ddwy i weld Ellen yn ceisio eu cyrraedd.

"Ellen, be sydd wedi digwydd?"

"Ga i ddod efo chi? Dwi'n rhy ofnus i aros yn y car ..."

"Ond mae'n rhaid i ti fod yn barod i danio'r injan ..." mynnodd Gladys, yn fyr ei hamynedd.

"Gad iddi ddod, Gladys," meddai Henriét, yn cytuno fod eistedd mewn car yng nghysgodion y coed mawr yn beth digon annifyr i'w wneud.

"Ôl-reit," meddai Gladys, "ond os cei ddamwain neu droi dy droed, fedrwn ni ddim symud o'ma. Does gan Henriét a minna 'run syniad sut mae gyrru car."

Gan mai ar ei hanner roedd y tŷ doedd hi ddim yn anodd i fynd i mewn. Osgoi 'nialwch adeiladwyr oedd yr her fwya, yn enwedig yn y tywyllwch.

Yn y stafell flaen, yng ngolau cannwyll, gosododd y merched y blawd llif a'r gannwyll yng nghornel y stafell, yn ddigon pell o unrhyw ddrafft.

"Rŵan ydyn ni'n gadael y powdr yma?" holodd Ellen, yn ceisio cofio'r dril.

"Ia, ond gad dipyn o bellter oddi wrth y gannwyll. Dydan ni ddim am iddo danio'n syth, neu fyddwn ni'n ddarnau mân ..." meddai Gladys yn gadarn, ond gwyddai Henriét ei bod hithau yr un mor nerfus.

"Tania fo'n sydyn, inni gael mynd," meddai Ellen.

"Mae eisiau gwneud 'run peth i fyny'r grisiau ..." eglurodd Gladys, rhag ofn na fydd un ohonyn nhw'n tanio ..."

"Mi wna i wlychu'r lle efo petrol ..." meddai Henriét, gan agor y tun a thasgu ei gynnwys o gwmpas y stafell.

"Gwylia!" gwaeddodd Gladys, gan sylwi fod ei sgert yn wlyb.

"Sut galla i? Mae hi fel bol buwch yma ..."

Clywyd clec, ac roedd Henriét wedi disgyn yn glewt ar y llawr.

"Mae'r tun wedi troi drosodd!" meddai Henriét.

"Wel mae hynna'n un ffordd o socian y llawr ..." meddai Gladys, "wyt ti'n iawn?"

"Ydw, diolch byth."

"Reit, mae'r tân yn debyg o gydio'n o sydyn yma. Mi dania i'r gannwyll, mi frysiwn i lawr y grisia – yn ofalus, a Henriét ... gwagia gynnwys y tun arall yn raddol, wrth inni fynd i lawr y grisia."

"Paid tanio rŵan, Gladys!"

"Beth?"

"Rhag ofn inni fethu cyrraedd y grisia ..."

"Ond mi gytunon ni. Dyna'r ordors."

"Ellen?" holodd Henriét farn ei ffrind.

"Efo cymaint o betrol, mi fydd un fatsien yn ddigon, dwi'n cytuno," atebodd Ellen.

Ochneidiodd Gladys ac arwain y ffordd i lawr y grisiau.

Roedd hi mor dawel pan daniodd Gladys y fatsien fel y dychmygodd y merched y byddai pawb yn ei chlywed. Roedd yn sŵn ddigon uchel i ddeffro'r meirw. Yr eiliad roedd y gannwyll wedi ei chynnau, roedd modd gweld yn llawer haws, ond munudau oedd ganddyn nhw i adael yr adeilad, cyn i'r powdr danio.

Er iddyn nhw fwriadu mynd yn drefnus, dechreuodd Ellen ruthro, ac yn reddfol, prysurodd y lleill ar ei hôl.

"Gofalus!" rhybuddiodd Henriét, ac aeth Gladys i'r stafell gynta i danio matsien arall.

"Cymer ofal, da ti!" meddai Henriét yn daer, a sgrialodd y tair o'r adeilad.

"Fiw inni aros," meddai Gladys. "O'ma cyn gynted ag y gallwn!"

I mewn â nhw i'r car ac Ellen yn gweddïo na fyddai'n cael trafferth tanio'r injan.

Doedd dim rhaid poeni. Taniodd y car yn syth, ac o fewn munudau, clywsant ffrwydrad a bu fflach fawr.

"Rydan ni wedi llwyddo! Da iawn ni!" meddai Gladys, gyda gwên.

Teimlodd Henriét y pecyn wrth ei hochr.

"Gladys ... anghofion ni'r taflenni," meddai, yn teimlo'n euog.

"Dydan ni ddim yn mynd yn ôl yno!" meddai Ellen, gan roi ei throed ar y sbardun.

"Lluchia nhw drwy'r ffenest!" meddai Gladys. "Does dim dewis. Caiff y gwynt eu chwythu."

"Does yna ddim gwynt," meddai Henriét, gan agor y ffenest a lluchio'r pentwr taflenni allan.

Wrth i'r car fynd ar hyd y ffordd droellog 'nôl am Lundain, bu'r dair yn dawel am dipyn yn ystyried mawredd yr hyn roedden nhw newydd ei gyflawni.

"Dwi'n teimlo cymaint o ryddhad," meddai Henriét yn y diwedd, a thorri ar feddyliau'r lleill.

"Dwi methu credu fod popeth wedi mynd mor rhwydd," meddai Gladys,

"Wel, ar wahân i 'nghodwm i," ychwanegodd Henriét.

"Wyt ti'n iawn?" gofynnodd Ellen.

"Ydw, 'blaw 'mod i'n drewi o betrol," atebodd. "Mae ei hanner ar fy sgert."

"Dim ond gobeithio y bydda i'n ffendio'r ffordd adra rŵan," meddai Ellen, "ac nad oes unrhyw heddwas yn ein stopio."

Sylweddolodd y lleill nad oedd hi'n amser ymlacio eto, ond bu'r daith adre'n ddidramgwydd. Arhosodd Henriét a Gladys efo Ellen y noson honno, ond aeth y ddwy'n fuan i'r stesion y bore wedyn i ddal y trên yn ôl i ogledd Cymru.

"Edrych," meddai Henriét yn sydyn, wrth dynnu sylw ei ffrind at y penawdau papur newydd:

'MR LLOYD GEORGE'S HOUSE WRECKED BY BOMBS.'

"Gawson ni'r tŷ iawn felly – diolch byth," sibrydodd Gladys.

Pennod 33

Carchar, Llundain, 1913

Mi ddigwyddodd rhywbeth wedi Walton Heath, fel y digwyddodd rhywbeth wedi Llanystumdwy. Os mai cael ein llorio gawson ni yn Llanystumdwy, mi gawsom ein haileni yn Walton Heath. Mi gawsom ein rhyddhau.

Roedd Walton Heath yn gymaint o fedydd tân, a'r rhyddhad o ddianc mor fawr, daethom i gredu ein bod yn anorchfygol. Doedd dim byd y tu hwnt i'n cyrraedd.

Mewn dim, roedden ni'n ôl yn Llundain i gael bod yn rhan o'r hwyl. Blychau post, swyddfeydd, tai ... roedden ni yno efo gordd neu fatsien i'w dinistrio. Wam! Bang! Wish! Dim ond i ni ei gyffwrdd efo'n dwylo hudol, ac roedd o'n diflannu. Ew, roedd o'n gyfnod cynhyrfus. Falle ein bod yn rhy handi, ond fydden ni byth yn gwrthod her. Roedd y gweddill eisiau bod ar dîm Gladys, am y credent mai hwnnw oedd y criw lwcus. Roedd Tîm Gladys bob tro yn dod adre!

Dechreuodd timau eraill gystadlu efo ni, ac mewn dipyn roedd 'na hanner dwsin o dimau, ac roedden ni'n galw ein hunain yn YHB – Young Hot Bloods. Doedden ni ddim yn gall. Doedd dim syndod bod y Llywodraeth yn mynd yn gynddeiriog. Bob tro roedd y merched yn mynd i'r carchar, yn mynnu cael gwisgo eu dillad eu hunain, roedd yr awdurdodau'n gwrthod, ac wedyn roedd y merched yn mynd ar streic newyn.

Er eu bod yn cael eu gorfodi i gael bwyd – drwy beipen i fyny eu trwynau – roedd o'n hollol anwaraidd. Ond doedd y merched ddim yn ildio. Wedyn roedden nhw'n mynd mor sâl roedd gan y Llywodraeth ofn y byddant yn marw. Na! 'Dan ni ofn i'r merched farw – rhyddhewch nhw!

Wyddoch chi be ddaru nhw yn y diwedd? Roedden ni wedi symud o dŷ Ellen bellach, ac yn cysgu yn nhŷ Sarah. Yn ystod y dydd, bydden ni'n treulio bob munud o'm hamser yn Swyddfa'r WSPU. Roedd y pencadlys wedi symud i Lincoln's Inn erbyn hynny, ond roedd hynny cyn ymosodiad yr heddlu. Roedden nhw mewn swyddfeydd mawreddog efo'r llythrennau W.S.P.U. yn bowld ar y tu blaen, a 'Votes for Women' oddi tano. Yn y swyddfa roedden ni pan ddaeth Gladys ataf efo'r newyddion.

"Dwi ddim yn credu hyn," meddai.

"Be rŵan?" gofynnais.

"Maen nhw wedi pasio deddf."

"Fôts i ferched?" holais yn wamal. Ro'n i'n aml yn dyfalu sut y byddai'r fuddugoliaeth yn dod yn y diwedd.

"Ddim cweit," atebodd Gladys. "Maen nhw wedi pasio y ... Prisoner's Temporary Discharge Ill-health Bill."

"Beth sydd wnelo hwnnw â ni?"

"Meddwl, Henriét? Pwy sy'n sâl yn jêl? Yn gorwedd ar eu gwlâu, wedi eu camdrin gan y staff?"

"Y merched sy'n ymprydio ..."

"I'w stopio nhw, be maen nhw'n ei wneud? Maen nhw'n eu gadael yn rhydd!" meddai Gladys, a'i llygaid yn fflachio.

Doeddwn i ddim yn deall. Roedd nifer o'r merched eraill wedi sylwi ar ein sgwrs, ac er ein bod yn sgwrsio yn Gymraeg, roedd hi'n amlwg fod Gladys wedi ei chythruddo.

"Mi faswn i'n ystyried hynny'n fuddugoliaeth," meddwn.

"Gwranda ar y geiriau, Henriét – Temporary Discharge."

"Fasan nhw byth yn eu rhoi yn ôl yn y carchar!"

"Dyna maen nhw'n bwriadu ei wneud!"

"Ac mae'r ddeddf wedi ei phasio?" gofynnais.

"Do, efo bendith y brenin."

"Dwi'm yn credu hyn."

"Ac maen nhw'n ei galw yn Cat and Mouse Act! Enw da!"

Ond wnaeth hynny mo'n stopio. Beth bynnag roedden nhw'n ei daflu atom, roedden ni'n ei dderbyn a dangos nad oedden nhw'n ein torri. Pwnsh! Pwnsh! Roedd o fel tasa'r wlad wedi troi'n un cylch bocsio mawr. Roedden nhw'n fawr a ninnau'n fach, nhw'n ddynion, ninnau'n ferched, ond doedden ni'n cymryd dim sylw o'u bygythiadau. Roedden ni'n dal ati, yn dawnsio, yn rhedeg, yn osgoi, ac roedden ni'n cyflawni beth wmbredd. Ddaru nhw 'rioed freuddwydio y gallen ni ddod â'r wlad i stop.

Un o'r pethau gododd fy nghalon fwyaf oedd clywed am ddigwyddiadau nôl adref. Rhaid bod yr hadau a blannwyd gennym yn dwyn ffrwyth. Roedd tân wedi bod yn Ysgol Caernarfon a thŷ wedi ei losgi ym Mangor. A doedd gan Gladys a minnau ddim oll i'w wneud ag o!

Mi ddaru ni landio yn y carchar yn diwedd. Roedd o'n sicr o ddigwydd, fel mae nos yn dilyn dydd. Ond pan ddigwyddodd, doedd neb wedi ei synnu'n fwy na ni'n dwy. Y blwch post hwnnw ddaru arwain at gael ein 'restio. Ond roedden nhw wedi bod yn ein gwylio cyn hynny. Pan ddigwyddodd cyrch yr heddlu ar y pencadlys, roedd enwau Gladys a minnau ar bob math o ddogfennau.

Diau ein bod wedi mynd yn rhy hy erbyn y diwedd. Roedd gan

Gladys focs o fatsys yn barhaol yn ei bag llaw. Roedd hi'n cario paraffin mewn potel sent. Ni fyddai byth yn gadael i ddiwrnod fynd heibio heb ei bod wedi cael rhoi hergwd i'r Sefydliad mewn rhyw fodd neu'i gilydd. Mynd adre roedden ni o'r swyddfa y noson honno, ac yn melltithio hwn a'r llall.

"Dwi ddim wedi tanio matsien ers deuddydd," meddai Gladys, a sefyll wrth y blwch post.

Edrychais arni'n hurt.

"Be wyt ti'n mynd i'w wneud?"

"Tanio hwn," meddai, efo'i gwên heriol.

"Nid yng nghefn dydd golau!" meddwn. "Tyrd adra inni gael te gynta."

"Mae gen i bob dim yn fan hyn," atebodd fi, "yn stwna yn y bag hudol ... " Roedd ganddi hyd yn oed forthwyl bach yn y bag.

"Gladys ..."

"Fydda i fawr o dro," atebodd. "Sgen ti hancas?"

Falle na ddylwn i fod wedi ei rhoi iddi ...

O'r botel fechan, rhoddodd y paraffîn drosti, ei phostio, ac yna tanio'r fatsien. Ddaru'r ddwy gynta ddim tanio.

"Tri chynnig i Gymraes ..." meddai, a lluchio'r drydedd fatsien i mewn. Dyna pryd y gwelais ddyn yn cerdded yn y pellter.

"Gladys – rhed!" meddwn, ond doedd Gladys byth yn rhedeg. Gyda gwên falch ar ei hwyneb, cerddodd ymlaen yn urddasol. Fyddai Gladys byth yn edrych yn ôl.

Fi wnaeth hynny. Roedd mwg yn dod yn araf o'r blwch postio, ond roedd y dyn yn rhedeg, yn rhedeg ar ein holau. Ditectif oedd o, mewn dillad bob dydd, ac mewn dim roedd wedi rhoi ei fraich ar fy ysgwydd a dweud ei fod am inni ddod i Swyddfa'r Heddlu. Dyna fu.

Aethon ni ddim adre'r noson honno. Fe'n harestiwyd, a'n dwyn gerbron y Fainc y bore wedyn. Mis o garchar oedd y ddedfryd – 'arson' oedd y cyhuddiad. Mewn dim, roedden ni mewn fan heddlu, ac fe welais HMP Holloway drwy'r ffenest flaen – pen y daith, am ryw hyd. Ond pen y daith go iawn i mi cyn belled ag roedd fy nghwrs coleg dan ystyriaeth.

"Tynnwch eich dillad." Dyna oedd cyfarchiad y sgriw.

"Rydan ni'n gwrthod," meddai'r ddwy ohonon ni.

"Caewch eich cegau, a thynnwch eich dillad."

"Carcharorion gwleidyddol ydan ni."

A dyma nhw'n rhwygo ein dillad oddi arnom, a'n gorfodi i wisgo dillad carchar. Fel protest, ddaru ni wrthod bwyd, a dyna sut ddaru ni landio ar streic newyn.

Oedd, roedd o'n anodd, ond fasa dim, dim yn y byd, wedi gwneud inni fwyta eu hen fwyd ffiaidd nhw. Oedd, roeddan ni'n llwglyd ar y dechrau, ond roedd hi'n gêm – ni yn eu herbyn nhw. Ar ôl dipyn, beth bynnag, doedd ein cyrff ni ddim eisiau bwyd cymaint â hynny. Roedd y syniad o lyncu rhywbeth yn codi pwys arna i.

Yna, daeth ein hofn penna yn fyw. Daeth y gnoc ar y drws, daeth y warders i mewn efo'u hen beipen, a'u hylif, a'u trais, a'u rhwymau. Ac roeddan nhw'n mynnu ein gwasgu i gadair, ein clymu efo rhaff, stwffio peipen i fyny'n trwynau, ac roedden ni'n dal i wrthwynebu. Roedd y boen yn erchyll, ond roeddan ni'n dal yn fuddugol; doedden nhw ddim wedi ein torri.

A phob yn hyn a hyn roedd y Syffrajéts eraill – y rhai oedd efo'u traed yn rhydd – yn dod tu allan i waliau'r carchar a bloeddio canu. Ac roedd y caneuon yma'n dod drwy waliau'r carchar, drwy'r ffenestri roedden ni wedi eu malu, ac roedd y geiriau a'r alaw yn gwneud gwyrthiau i'n hysbryd.

'Long, long, we in the past,
Cowered in dread from the light of Heaven,
Strong, strong, stand we at last;
Fearless in faith and with sight new given.
Strong with its beauty, life with its duty
(Hear the voice, Oh hear and obey).
These, these beckon us on,
Open your eyes to the blaze of the day!'

Gwyn eu byd ...

Pennod 34

Rhwng y cyfnodau o weithredu ro'n i'n dychwelyd adre, ond roedden ni fwy yn Llundain nag adre. Ro'n i wedi bod o flaen bwrdd disgyblu'r coleg, ac roedden nhw wedi dweud nad oedden nhw'n hapus, a'u bod yn rhoi rhybudd i mi. Aneurin oedd y mwya pryderus, ac un noson mi gawson ni ffrae am y peth. Nid y ffrae gynta, ond hon oedd y mwya chwerw.

Wedi mynd am dro ar lan y Fenai roedden ni, a minnau'n synnu at harddwch y cyfan yn ffrwydro yn sioe o liwiau ac arogleuon synhwyrus.

'Pan ddêl Mai a'i lifrai las
Ar irddail i roi'r urddas ...'

Rhedais at Aneurin a'i gofleidio a thynnodd fy het gan roi cusan hir, felys i mi.

"Dwi'n mynd i dy golli di," meddai, a dyfnder ei dristwch i'w weld yn ei lygaid.

"Paid â deud hynna," meddwn, yn tynnu fy hun o'i freichiau.

Cerddodd Aneurin yn ei flaen.

"Mae o'n wir," meddai.

Ro'n i'n gwybod ei fod yn wir, ond ddaru hynny mo fy stopio rhag chwarae'r rhan. Rhedais ar ei ôl.

"Mi allet gael y cyfan," meddai. "Ti'n alluog, ti'n ddewr, ti'n

dlws ryfeddol, a … ti'n mynd i gael dy ddal, Henriét. Mi wyddost fod y rhwyd yn cau."

Gafaelais yn ei law.

"Beth ddylwn ei wneud felly, meddet ti?"

Arhosodd.

"Dwi'n meddwl ei bod yn rhy hwyr. Rwyt ti wedi dewis dy lwybr … ac mae Gladys yn gwneud yn siŵr dy fod yn ei droedio."

"Dwyt ti 'rioed yn eiddigeddus ohoni?"

"A deud y gwir yn onest, dwi'n meddwl 'mod i," a cherddodd ymaith eto.

Roedd o'n brifo ei weld yn cerdded ymaith, a doedd dim pwynt gwadu ffeithiau. Roedd y gosb ar ddod, dim ond mater o amser ydoedd. Ro'n i ar fin colli'r cwbwl, ond welwn i ddim ffordd allan ohoni.

"Paid â gweld bai arna i, Aneurin. Dyna'n unig dwi'n ei ofyn. Beth bynnag ddigwyddith, paid â gweld bai yno i."

"Dydw i ddim, Henriét fach …"

"Rhain ydi'r dyddiau rydan ni'n byw ynddyn nhw. Nid fi ddewisodd nhw. Gallen nhw roi'r bleidlais inni fory nesa, a fasa neb yn hapusach na fi."

Gwyliais y Fenai'n las, a'i dŵr yn sgleinio'n llachar yn yr haul. Roedd o'n ddiwrnod perffaith. Gwelais Ynys Môn yr ochr draw.

"Weli di Fôn, dirion dir?"

"Gwelaf," atebodd Aneurin.

"Beth am edrych arni, edrych ar y dyfodol fel ynys rydan ni'n trio ei chyrraedd? Rhywbeth dros dro fydd cael ein dal a'r carcharu. Mi ddaw hwnnw i ben, a mi ddaw byd gwell a hawliau i ddynion a merched. Pan edrychwn ni'n ôl, rhan fechan o'n

bywydau fydd hyn, rhyw grych ar wyneb dyfroedd … Aneurin?"

Roedd o'n brwydro'n galed i gadw'r dagrau draw. Es ato a gafael yn ei law.

"Rwyt ti mor ddifeddwl-drwg, Henriét. Dyna un o'r nodweddion dwi'n ei hoffi amdanat, ond does gen ti 'run syniad am y byd mawr. Wn i ddim pa effaith gaiff carchar arnat ti, ond fyddi di byth yr un fath. Ew, mae o'n fyd creulon."

Wyddwn i ddim sut i'w gysuro. Gwyddwn fy mod i'n ddigon cryf i allu wynebu'r hyn oedd o'm blaen, ond yn amlwg doedd Aneurin ddim yn ei gweld hi felly.

"Aneurin. Edrych arna i. Dwi'n hogan reit benderfynol, a fydda i ddim ar fy mhen fy hun, beth bynnag a ddigwydd. Bydd gen i ferched cryf i'm cynnal, a dwi'n gwbod y dof drwyddi! Ti – yr optimist parhaol!"

Cofleidiodd fi, ond roedd o'n dal yn isel iawn.

"Taswn i 'mond yn gallu cymryd y baich yn dy le …" meddai'r creadur.

"Fedri di ddim, mae'n rhaid i ti wneud fel ti'n credu, ac ymddiried yn y merched," atebais, gan gusanu ei dalcen.

Teimlais ei freichiau'n llacio, a gwyddwn innau ein bod wedi cael ein pnawn olaf o hapusrwydd diniwed, digwmwl. A phob tro y bydda i'n edrych ar y Fenai, mi ddaw arogl a hud a thristwch y cyfarfyddiad yna yn ôl i'm cyffwrdd tan ddiwedd fy oes.

Pennod 35

Gan fod Gladys a minnau wedi dod i mewn i garchar Holloway efo'n gilydd, fe'n rhoddwyd i weithio yn y golchdy, felly caem gwmni ein gilydd, ac roedd hynny'n help aruthrol. Gladys oedd yn iawn – faswn i byth wedi gallu gwneud y ddedfryd ar fy mhen fy hun. Amser 'exercise' bob bore, caem gyfarfod y merched eraill, ac er nad oedden ni fod i siarad, gallem gipio sgwrs nawr ac yn y man, pan nad oedd y sgriws yn edrych. Fel arall, dim ond cerdded rownd a rownd mewn cylch oeddem; welais i 'rioed ymarferiad mwy di-fudd. Roedd golwg druenus arnon ni, pawb efo clogyn du, yn edrych fel haid o frain mewn angladd. Neb yn edrych ar unrhyw un arall, neb yn gwenu, neb yn torri gair. Ac wrth gerdded rownd a rownd, a Gladys wrth fy ochr, byddwn yn meddwl beth ar y ddaear a ddeuai ohonof. Roedd holl fwynhad bywyd coleg wedi ei luchio i'r neilltu, a go brin y cawn fy nerbyn yn ôl yno. Oeddwn i'n gresynu fod Gladys wedi rhoi'r blwch post ar dân yng nghefn dydd golau?

Oeddwn, o bryd i'w gilydd. Roedd o'n beth hollol hurt i'w wneud. Ond tasa fo ddim yn flwch post, mi fyddai'n rhywbeth arall. Doedd dim ffordd arall i'r stori orffen.

O'm blaen, roedd Rosa May ar ei baglau, a theimlwn yn hunanol 'mod i'n meddwl amdana i fy hun. Roedd Rosa yn cario croes drymach na'r mwyafrif, a doedd hi ddim yn cwyno. Yn sydyn, ro'n i'n ymwybodol fod Gladys yn trio dweud rhywbeth wrtha i. Fedrwn i mo'i deall, a chlosiais ati.

"Emily ... Emily Davison ..." sibrydodd.

Edrychais ar Gladys, ond roedd hi'n edrych yn syth o'i blaen, ac wedi synhwyro fod swyddog a'i llygaid arni. Gwyddwn am Emily yn iawn – hi oedd un o'r rhai mwya gweithgar o'r holl Syffrajéts, ac ro'n i wedi ei chlywed yn annerch ac wedi ei gweld yn galw heibio'r swyddfa.

Closiais at Gladys eto. Daliodd i edrych o'i blaen, ond deallais gymaint â 'lluchio' a 'ceffyl'.

"Williams! Hughes!" gwaeddodd y swyddog, a rhoddodd hynny daw arnom.

Roedd fy meddwl yn chwarae triciau arna i. Oedd Emily yn marchogaeth ac wedi cael damwain? Oedd hi wedi ei chlwyfo? Pam ro'n i'n teimlo fy stumog yn troi wrth weld Gladys yn amlwg wedi ei pharlysu gan y newydd? Ceisais wthio'r peth o'm meddwl, ond roedd rhywbeth dychrynllyd fel petai wedi dod dros wal y carchar, ac yn ei lapio ei hun am bob un o'r merched. Bron nad oedd modd cyffwrdd y bygythiad. Roedd o fel siffrwd llygod yn treiddio drwy'r cylch.

"SILENCE!!" sgrechiodd y warder.

Y munud roedden ni'n ôl dan do ac yn y ciw i'r golchdy trois at Gladys a'i holi'n iawn.

"Wnest ti ddim deall?" meddai gan edrych arna i, yn methu credu nad oeddwn wedi deall.

"Be sydd wedi digwydd i Emily?"

"Yn y Derby ddoe – lluchiodd ei hun dan geffyl y Brenin ..." a llanwodd ei llygaid yn syth.

Ceffyl-y-brenin, ceffyl-y-brenin, ceffyl-y-brenin. Mynnai'r geiriau garlamu drwy 'mhen nes peri cur. Wrth i mi wahanu'r dillad i fasgedi gwahanol, doedd dim geiriau eraill i'w cael. Ceffyl yn mynd, mynd, mynd, ceffyl trwm, trwm, trwm, ac Emily yn rhedeg ar ras. Ceffyl yn mynd ar ras, ceffyl-y-brenin, bwm, bwm, bwm. Emily yn rhedeg, ceffyl yn rhedeg, Emily yn cael ei sathru dan garnau'r ceffyl trwm. Trwm, trwm, trwm.

Pan agorais fy llygaid, roedd Gladys a Phyllis uwch fy mhen yn rhythu arna i, a theimlais y llawr yn galed dan fy nghefn. Ro'n i'n gorwedd ar lawr y golchdy, a'm pen yn troi. Rhythais ar Gladys.

"Wyt ti'n iawn?" gofynnodd.

Na, doeddwn i ddim yn iawn o gwbl. Roedd gen i boen yn fy mhen, ac roedd bob dim yn rhyfedd.

"Henriét?"

Roedd Thelma yn dod yn nes ac yn rhoi cwpanaid o ddŵr i mi. Yn y diwedd, cefais fy anfon i'r gell i orwedd.

Ac yn y gell, wrth geisio ymlid y darlun o geffyl y brenin yn sathru Emily druan y clywais y newydd ei bod wedi marw. Wrth gwrs y byddai'n marw, fasa dim modd goroesi damwain felly. Ond nid damwain mohoni. Roedd gan Emily rubannau'r Syffrajéts yn ei llaw, ac roedd hi'n ceisio tynnu sylw at ein hachos. A rŵan roedd wedi marw. Ond ches i fawr o amser i alaru, achos roedden nhw yn ôl, y doctors ddiawl a'r warders a'u peipen gythreulig, a bellach, doedd gen i mo'r cryfder i'w gwrthsefyll.

Pan es yn ôl i'r golchdy wedi hynny, roedd y dillad yn llawer anoddach i'w trin, a'r bwcedi dŵr yn drymach. Roedd rhywbeth wedi digwydd i'r mangl, achos roedd yn amhosib i'w droi. Roedd fel petai Emily wedi rhoi melltith ar bopeth, a doedd dim yr un fath ag o'r blaen. Doedd neb fel taen nhw'n credu'r peth. Tan hynny, roedden ni wedi bod yn eofn, gan ysgwyd y Drefn i'w seiliau. Y tro hwn, nhw oedd wedi cael y gorau arnon ni, ac wedi lladd un ohonom. Os gallent wneud hynny, doedd dim y tu hwnt iddyn nhw. Roedden nhw am ein lladd ninnau i gyd, fesul un ac un ...

Cafodd Emily andros o angladd mawr, yn ôl y sôn, ac roedd cannoedd ar y strydoedd. Roedd gorymdaith o gannoedd yn cerdded efo'r hers, ond roedd y nifer ddaeth allan i wylio'n dangos cefnogaeth aruthrol. Bechod na allem fod yno. Ond y noson honno, roedd mwy nag o dân nag arfer yn y canu ddeuai drwy'r waliau. Gorweddwn ar y gwely, a Gladys ar y gwely yr ochr arall, a gallem glywed eu geiriau. Gresyn na chaent wybod faint o gysur inni oedd eu canu. Ond mae'n siŵr eu bod yn gwybod, ac roedden nhw am inni wybod nad oedden ni ar ein pennau ein hunain. Wedi i un ferch golli ei bywyd, roedden ni angen teimlo sicrwydd y geiriau'n fwy nag erioed.

'Comrades – ye who have dared
First in the battle to strive and sorrow!
Scorned, spurned, nought ye have cared,
Raising your eyes to a wider morrow.
Ways that are weary,
Days that are dreary,
Toil and pain by faith ye have borne;
Hail, hail – victors ye stand,
Wearing the wreath that the brave have worn.'

Pennod 36

Un o'r carcharorion a gofiaf am byth yw Slasher Mary. Mary Richardson oedd ei henw iawn, ond 'The Slasher' oedd pawb yn ei galw.

"Nid y hi oedd efo Emily ar ddiwrnod y Derby?" holais, yn edrych arni ym mhen arall y golchdy.

"Yr union un," meddai Gladys. Ers imi lewygu, roedd Gladys yn fy helpu efo 'nhasgau, ac roedd hyn yn gwneud pethau fymryn yn haws. Dywedodd Gladys ei bod yn help iddi hithau; roedd hi'n gwanio'n gyflym.

"Beth oedd ei throsedd hi felly?"

"Malu'r llun hwnnw – yn yr Oriel."

"Hi ydi honna?!"

"Pam ti'n meddwl cafodd hi'r glasenw 'Slasher'?" meddai Gladys gan godi ei llygaid wrth weld fy nhwpdra.

Roedd ei hanes wedi cyrraedd y Times *hyd yn oed. Trosedd Mary oedd mynd â bwyell i'r Oriel Genedlaethol a malu llun o'r Fenws noeth oedd yn gampwaith tri chan mlwydd oed. Nid honno oedd ei hunig brotest. Fe'i carcharwyd sawl gwaith, ond unwaith, neidiodd ar gerbyd y brenin i wthio deiseb i'w law. Fel y nododd Mary wedyn, "Roedd o'n rhatach na'i phostio!"*

Dyfodiad Mary oedd y peth mwya cynhyrfus i ddigwydd yn y golchdy ers dyddiau, ac aeth y rhai ohonon ni oedd yn Syffrajéts ati i'w chroesawu, ac i glywed yr hanes.

"Sut llwyddaist ti?"

"Gweld fy nghyfle wnes i ..." meddai Mary efo gwên, "pan aeth un gofalwr am ginio, tynnwyd sylw'r gofalwr arall, ac allan â'r fwyell!" Actiodd yr olygfa, fel petai'n gafael mewn cleddyf, a pharodd hyn i bawb chwerthin. Roedd hi'n dipyn o gymeriad, 'rhen Mary.

"Ond lle roedd y fwyell?"

"Fyny fy llawes, mwy o gyllell cigydd oedd hi ... roedd hi'n sownd yno efo 'safety pins' – petha handi ar y naw i Syffrajét."

"Mi lwyddaist i achosi difrod uffernol ..."

"Do, reit ar draws ei phen-ôl noeth powld," meddai Mary, gan ysgwyd ei phen yn wamal. "Eisiau i'r ddynes orchuddio ei hun yn iawn, toedd? ... twt, twt."

"A faint gest ti?"

"Chwe mis – y mwya roedden nhw'n gallu ei roi am ddifrodi gwaith celf. Felly 'nôl â fi ar streic newyn, debyg."

Sobrodd pawb.

"Ia," meddai Mary, "mae merched noeth mewn fframiau'n cael mwy o barch na Syffrajéts."

"Silence!" bloeddiodd y sgriw.

Yn ein celloedd y noson honno, roedd Gladys a minnau'n trafod cymaint o ysbrydoliaeth oedd Mary.

"Dydi'r hogan ddim yn gall. Slasher Mary – am enw!"

"Gawn ni gyd enwau gangsters – Ghastly Gladys fyddi di."

"Gwylia dy hun, Hungry Henriét ..."

Da oedd gallu dal i chwerthin, er bod ein gyddfau'n llosgi, a'n nerth yn diflannu'n gyflym. Tua'r adeg honno roedd pethau wedi mynd yn hurt. Roedd cymaint ohonom ar streic newyn erbyn hynny, a llawer ohonom wedi malu ffenestri ein celloedd mewn protest. Cawsom ein rhoi yn y celloedd cosb wedi hynny, ond buan y llanwyd y rheini, a rhoddwyd ni yn ôl yn ein celloedd, lle roedd y ffenestri'n dal heb eu trwsio.

"Dwi'n oer," meddai Gladys, yn lapio ei hun yn y flanced.

"Ti falodd y ffenest, be ti'n ei ddisgwyl?"

Daeth Gladys ar fy ngwely i, a swatio'n agos ata i. Syllodd arnaf a dyma fi'n troi ati.

"Mae golwg ddychrynllyd arnat ti," meddai.

"Dwyt titha ddim yn llond dy groen."

Ar ddiwedd dydd bellach, fydden ni ddim yn darllen – doedd ganddon ni mo'r nerth. Doedd ganddon ni mo'r nerth na'r amynedd i wneud dim.

"Dwi'n wan fatha cath, Gladys."

"Y peidio bwyta 'ma sy'n ei achosi, 'sti, wir i ti," meddai honno, efo winc slei.

Trois i edrych yn iawn arni hi, ei gwallt yn gudynnau tenau seimllyd fel cynffonnau llygod mawr, ei chroen yn felyn, a'i gwisg garchar fel sach amdani. Roedd ei cheg yn llawn briwiau, a'r rheini ddim yn gwella.

"Fydd rhaid i ti gael rhywbeth at y briwiau 'na, maen nhw'n waeth na'm rhai i!"

"Yr hen beth i gadw dy geg ar agor sy'n frwnt ..." meddai Gladys, "ac mae'n rhwygo'r croen tu mewn i 'ngheg."

"Dwi ddim yn brwydro yn eu herbyn rŵan, does gen i mo'r nerth. Dim ond gadael iddyn nhw wthio'r beipen. Ond dydi o ddim yn mynd yn haws, nac ydi? Ro'n i'n meddwl y byddwn yn dod i arfer."

"Ti ddim yn dod i arfer efo cael dy arteithio. Dyna pam maen

nhw'n ei wneud o. Diawlad."

Teimlais Gladys yn chwarae efo fy ngwallt.

"Ti'n cofio ti'n gwneud fy ngwallt i, Gladys?"

"Pan oedd gen ti wallt trwchus ... mae o wedi mynd mor denau, bechod."

"Wyt ti'n meddwl y gwnawn nhw ein gadael yn rhydd?"

"Pan rydan ni rhy wan i symud, falle."

Edrychais i fyw ei llygaid, yn chwilio am obaith.

"Mae gen i ofn marw yma, Gladys."

"Paid â meddwl am y peth, mae'n ddigon i'n gyrru'n wallgof. Beth bynnag, fedrwn ni ddim marw yma – mi fydda hynny'n wael iddyn nhw." Yna, newidiodd y pwnc. "Pryd glywaist ti ddwytha gan Aneurin?"

"Dridiau yn ôl. Roedd o'n deud bod ugain mil wedi dod i rali yn Sgwâr Trafalgar."

"Rali'r NUWSS?"

"Adran y Dynion, 'nôl be fedrwn i ei ddeall. Dydi pobl ddim yn hapus o gwbl sut mae petha'n mynd."

"Mae hynny'n ennill mwy o gefnogaeth i'n hochr ni. Sydd ddim yn syndod, efo Llywodraeth sy'n mynd yn fwy fwy styfnig. Da 'de?"

Gladys, mor obeithiol ag erioed. Doedd Aneurin ddim yn rhannu ei gobaith. Pryderu a wnâi ef fod y Pankhursts yn mynd yn gynyddol wrthwynebus i'r Blaid Lafur, plaid a allai fod o help i'w hachos. Roedd o'n rhannu newyddion arall hefyd, ond doeddwn i ddim am ddweud hynny wrth Gladys. Roedd tad Gladys yn curo ei mam yn llawer gwaeth ers y carchariad. Roedd cael Gladys yn y carchar yn rhoi esgus iddo fwrw ei gywilydd ar ei wraig.

Ymhen dipyn, aeth pethau'n gwbl hurt. Rhoddwyd mwy o flychau post ar dân, roedd cemegau'n cael eu rhoi mewn parseli a oedd yn ffrwydro wrth i staff y post eu cyffwrdd. Ro'n i'n ofnadwy o bryderus o glywed hynny, a'r hyn barodd ddychryn hyd yn oed i Gladys oedd y pecyn asid. Roedd pecyn yn cynnwys asid sylffyrig wedi ei gyfeirio at Lloyd George wedi troi'n fflamau pan agorwyd ef. Difethwyd parciau golff di-rif ... Ond roedd Mrs Pankhurst wedi dweud, "When you put an army in the field, you want to do as much damage to the enemy as you can, and sustain as little yourself."

Creu'r difrod mwya i eiddo, a chyn lleied â phosib o niwed i gyrff merched – dyna oedd y cynllun bellach.

Pennod 37

Llundain, 1914

Rydan ni wedi cael ein trosglwyddo i ysbyty'r carchar, y ddwy ohonon ni, a Rosa druan, a thair neu bedair arall. Mae'r ysbyty'n well – mae pawb yn Syffrajét yma. Daeth llythyr y dydd o'r blaen gan Sarah i ddweud bod Maude wedi ei charcharu. Roedd hyn yn peri dipyn o anghyfleustra yn y swyddfa. Doedd hi ddim wedi bwriadu cael ei harestio, ond cafodd ei dal efo criw o ferched oedd yn protestio o flaen Tŷ'r Cyffredin.

"Maude druan," meddwn, ond roedd llygaid Gladys wedi eu goleuo.

"Yn lle mae hi? Falle ei bod yma yn Holloway!" Roedd wedi llonni drwyddi.

Os oedd hi yn yr un carchar â ni, doedden ni ddim yn debygol o'i gweld, a ninnau yn yr ysbyty. Bai pennaf yr ysbyty oedd ein bod yn ein gwelyau drwy'r amser bellach; roeddem yn rhy wan i wneud dim, ac roedd hyn yn peri i'r amser lusgo. Teimlai'n fwy o garchar nag erioed. Daliai Gladys i geisio cadw fy ysbryd rhag suddo.

"Ydi, mae amser yn mynd yn araf, ond fydd hi ddim yn hir rŵan nes cawn ein rhyddhau," meddai. "Dwi innau ddim yn lecio bod mor llesg. Dwi eisiau fy nerth yn ôl, dwi eisiau bod yn gryf eto."

"Falla nad awn ni byth o'ma. Falle neith Mrs Pankhurst farw yn y carchar tro 'ma, a dyna beth fydd ein tynged ni i gyd."

Cododd Gladys, a gorffwys ar ei phenelin.

"Be fydd yn digwydd inni wedyn, dywed? Tasan ni'n marw yma ... Ti'n meddwl y trown ni'n angylion? Dychmyga'r peth ..."

A dyma fi'n meddwl. Ro'n i'n eitha lecio'r syniad o droi'n rhyw haniaeth nad oedd angen bwyd na diod arni. Faint o nerth oedd gan engyl?

"Pa mor drwm ydi adenydd angylion?" gofynnais.

"Dydi o ddim ots, nac ydi?" meddai Gladys, yn falch o gael rhywbeth newydd i feddwl amdano. "Mae eu hadenydd nhw fatha mae traed inni – yn ffordd o symud."

Wrth edrych arni'n ei choban wen ar y cynfasau, doedd hi ddim yn anodd iawn dychmygu Gladys fel angel, un wantan iawn, ond angel yn dal i fod.

"Unwaith ti'n angel, fedri di wneud unrhyw beth. Hei – fasat ti'n gallu teithio drwy amser, Henriét!"

"Fasat ti'n gallu treiddio i feddyliau pobl ..."

"Chwarae'r gêm roedden ni'n arfer ei wneud," meddai, a'i llygaid yn pefrio fel ers talwm.

Doedd gen i ddim nerth i chwarae gêm, ond roedd Gladys yn benderfynol.

"Tyrd 'laen – i feddwl pwy fasat ti'n mynd, Angel Henriét?"

Roedd hi'n anodd meddwl, ond wedyn, cefais syniad.

"Faswn i'n hedfan i gell Mrs Pankhurst a bod yn gysur iddi yn ei horiau olaf," meddwn, yn ei ystyried yn ateb go dda.

"Ateb diflas. Gwna rywbeth cynhyrfus – faswn i'n hedfan i ... i ... swyddfa Asquith. Faswn i'n hedfan o gwmpas yn swnllyd ac yn styrbio ei bapurau, ac wedyn faswn i'n sibrwd yn ei glust, 'A'r

angel a lefarodd – Fôts i Ferched!'"

Rêl Gladys.

"Ac wedyn, mi faswn i'n gwneud gwynt mawr a pheri fod ei holl bapurau pwysig o'n chwythu drwy'r ffenest ... Ydi angylion yn gallu sgwennu?"

Daeth y nyrs o amgylch a dweud wrthym am ostwng ein lleisiau, a'n bod yn styrbio'r cleifion eraill. Fuo raid inni sibrwd wedyn.

"Siŵr fasa angel yn gallu sgwennu."

"Angel yn sgwennu faswn i – efo un o'r plu o f'adenydd," meddai Gladys. Doedd dim stop arni bellach, ac roedd ei dychymyg yn drên.

"Pam wyt ti mor awyddus i sgwennu?"

"Faswn i'n sgwennu o dan drwyn Asquith, byddwn? Faswn i'n sgwennu 'Bydd merched yn cael y bleidlais!'"

Da oedd dychmygu. Codais innau ar fy eistedd wedyn, wedi cael fy ysbrydoli gan ei gweledigaeth.

"Be fyddet ti'n ei wneud wedyn?"

"Ei orchymyn i fynd ar frys i'r Senedd a deud bod rhaid pasio'r ddeddf yn syth. A mi fyddwn wedi codi gymaint o ofn arno fo ... na, mi faswn i'n ei godi dan fy nghesail, mynd ag o drwy'r awyr, a'i ollwng yn Nhŷ'r Cyffredin. A mi fasat ti – efo dy fathodyn piws a gwyrdd yn amlwg ar dy wisg – wedi hel holl ferched y deyrnas i'r Senedd, ac mi fyddai'r ddeddf wedi ei phasio, a dyna fasa diwedd y stori. Syml, tydi? Bob dim yn syml pan wyt ti'n angel."

"Ond fasan ni'n dal wedi marw, a dydi hynny ddim yn hwyl," meddwn yn ddwys.

"Tria ddeallt, Hungry Henriét! Dydi angylion ddim yn marw!

Mae o jest fel bod ti'n Hollalluog, a ti'n cyflawni'r petha rhyfeddol. Fasa 'na ddim stop arnom!"

"Be yn fwy fasa ar ôl i'w wneud, unwaith rydan ni wedi cael y Bleidlais?"

Roedd anferthedd y dasg yn poeni dim ar Gladys. Byddai'n hedfan i bob cyfandir, byddai'n tramwyo ar draws y cenhedloedd.

"Dwi wedi cyrraedd 2018, dwi ymhell ar y blaen i ti, Henriét. Ti'n hen angel bach saff sydd ofn symud o 1914 ..."

"Be sy'n digwydd yn 1914?"

"Ar ôl i'r Syffrajéts i gyd gael eu lladd yn y carchar, does dim siâp ar y byd. Does neb ar ôl i'w gormesu, felly mae'n dynion jest yn cwffio ei gilydd. Mae pawb yn cael ei ladd ac maen nhw wedi gwneud Poitsh Go Iawn o betha."

Roedd Gladys wedi colli ei gwynt yn siarad cymaint.

"Dwi ddim yn lecio'r diweddglo yna, Gladys. Does 'na ddim merched o gwbl yn y Byd Newydd Dewr 'ma?"

"Gad i mi gael fy ngwynt ... angylion fyddan nhw," sibrydodd Gladys.

"Mewn cyrff merched?"

"Ia, rhywbeth felly ..." Caeodd ei llygaid am dipyn. "Gad i mi edrych i'r dyfodol ... Maen nhw'n trio trwsio cyrff y dynion, ac yn rhoi petha'n ôl at ei gilydd, a chymodi, ond mae'n anodd iawn arnyn nhw."

Roedd hi wedi blino bellach, ac wedi rhoi ei phen ar y gobennydd. Roedd ei llygaid ar gau, ond ro'n i eisiau dal ati i freuddwydio.

"Be faswn i'n ei wneud fel angel fyddai dysgu merched eraill i hedfan."

"Syniad da ..."

Dyma finnau wedyn yn gadael i'm dychymyg fy meddiannu.

"Os nad oes ganddyn nhw adenydd, fedran nhw hedfan awyrennau, ac mi fyddan nhw'n gyrru bysus a threnau a mi fydd ganddyn nhw eu ceir eu hunain ... Gladys, Gladys?"

Roedd cwsg bron â'i threchu, ond roedd hi'n dal i'm clywed –

"Ti'n dechra ei deall hi, Henriét ... dechra deall ..."

Pennod 38

Parhau i freuddwydio wnaeth Gladys a Henriét ac roedd eu breuddwydion yn mynd yn fwy a mwy gwallgof. Cawsant eu galw'n 'Ddwy Angel Wallgof" ond roedd y breuddwydio'n cydio.

Roedd cymaint o garcharorion erbyn canol 1914, wyddai'r awdurdodau ddim beth i'w wneud efo nhw. Roedden nhw fesul tair neu bedair yn y celloedd, a phan ddaeth y streic newyn i ben, roedden nhw'n gweld ei gilydd yn y neuadd amser bwydo.

"Dwi ddim yr un person wedi dechra bwyta," meddai Gladys wrth rwygo'r crystyn a mwynhau blas y bara.

"Finna chwaith," meddai Lucy, "bron nad wyt ti'n teimlo'r nerth yn dod yn ôl i dy gyhyrau."

"Dydan ni ddim yn mynd i farw'n jêl wedi'r cwbwl," meddai Henriét fel tasa hi wedi taro ar ryw wirionedd mawr.

"Be ydi'r weledigaeth ddiweddara, Gladys?"

Roedd gweledigaethau Gladys wedi ennill cryn enwogrwydd iddi ymysg y merched. Roedd yn fodd o gadw eu hysbryd, ond roedden nhw hefyd yn mwynhau dawn dweud Gladys.

"Mi fûm yn edrych yn fy mhelen risial neithiwr, ac roedd y weledigaeth yn un hyfryd iawn. Gwelwn lun ohonof fy hun efo pensil yn fy llaw ..."

Syllai pawb yn awchus arni. Beth oedd ganddi i'w diddanu y tro hwn, yn niflastod llwm y carchar?

"Wnes i ddim sgwennu gair efo'r bensil, dim ond rhoi croes ar bapur, a phostio hwnnw mewn blwch ... ac roedd hi'n weithred mor syml, mor ddi-nod, ond mi gerddais allan fel tawn i'n frenhines!"

Curodd pawb eu dwylo'n orfoleddus. Meddyliodd pob un yn dawel wrthi ei hun sut deimlad fyddai hynny.

"A dwi am roi fy enw 'mlaen!"

Cododd Henriét ei llygaid pan glywodd hyn; roedd yn dant newydd ar delyn ei ffrind.

"Ydw – pam lai?" meddai. "Taswn i'n sefyll fel aelod seneddol, pwy fyddai'n pleidleisio i mi?"

Cododd pob un ei dwylo. Cododd Gladys ar ei thraed.

"Dydi o ddim yn amhosib, nac ydi? Os ydi hanner arall y ddynoliaeth yn cael pleidlais, fedra i – Gladys Williams, merch gyffredin – fynd i'r Senedd! Ac mi wna i ddadlau am betha sy'n berthnasol i bobl – ac mi wnawn ni basio deddfau sy'n effeithio ar eich bywydau chi a fi! A chitha – peidiwch â 'nghadael ar fy mhen fy hun yno – dewch chitha efo fi! A fydd B-Wing Holloway wedi ei drosglwyddo i Dŷ'r Cyffredin, neu 'Tŷ'r Bobl Gyffredin' fel y bydd o'n cael ei alw erbyn hynny!"

"Order, order, order!" meddai Rosa, a throdd pawb i edrych arni. Roedd wedi rhoi cadach ar ei phen i ddynwared y Llefarydd.

"Gwych – ond dydi hi'n Senedd hardd?" meddai Gladys, yn difrifoli wrth edrych o'i chwmpas.

"Barchus lefarydd," gwaeddodd Henriét, "dwi eisiau

cynnig deddf fydd yn talu'r un cyflogau i ferched a dynion!"

"Pawb o blaid?" gofynnodd Rosa. "*Ayes* i'r chwith, *Noes* i'r dde ... ydw i wedi ei gael o'n iawn, deudwch?"

Cododd pob un ei dwylo.

"Dwi'm yn credu bod ots," meddai Edith, "mae pawb o blaid!"

Curodd pawb eu dwylo, ac meddai May, mewn acen grand:

"Rŵan, rŵan, byhafiwch, neu fydd raid inni luchio'r rhai difunars allan ..."

"Rhywun arall efo syniad am newid cymdeithas?"

"Hawl i wisgo trwsus!" gwaeddodd llais o'r cefn.

"Fedri di wneud hynny rŵan!" atebodd rhywun. "Ti ddim eisiau deddf i hynny!"

"Na fedra," meddai Ada. "Os baswn i'n mynd allan yn gwisgo trwsus adra, byddai pawb yn edrych yn rhyfedd arna i ..."

Daeth hynny â phawb i stop.

Roedd hynny'n wir. Roedden nhw'n esgymun mewn cymdeithas eisoes am eu bod yn Syffrajéts. Byddai gwisgo'n wahanol yn eu gwneud yn odiach.

"Mae eisiau newid bob dim," mynnodd Sylvia.

"Cytuno!" meddai sawl un.

"Dwi'n cynnig ein bod yn cael Deddf Newid Bob Dim! Pwy sydd o blaid?"

Cododd pawb eu dwylo gan weiddi, "Hwrê!"

Doedd Gladys ddim yn meddwl bod hynny'n cadw at y rheolau. Ond o edrych o'i chwmpas, doedd senedd merched mewn carchar ddim yn cadw at unrhyw fath o ffurfioldeb na rheolau chwaith. Roedd Sylvia yn llygad ei lle. Roedd eisiau newid pob dim, felly pam lai?

Gwelodd Henriét yn dal ei llygad, a winciodd arni. Ar yr eiliad honno mewn hanes, ni allai Gladys feddwl am unman gwell i fod nag efo'r merched beiddgar hyn.

Winciodd Henriét hithau.

PLEIDLAIS I FERCHED: Y CAMAU

1865 – Llong y *Mimosa* yn gadael Cymru i sefydlu Gwladfa newydd ym Mhatagonia.
Pob dyn a dynes dros 18 oed yn y Wladfa yn cael yr hawl i bleidlais gyfrinachol.

1867 – Cychwyn yr NUWSS – National Society for Women's Suffrage (gan fod deddfau yn dechrau rhoi caniatâd i ddynion cyffredin bleidleisio, ond dim sôn am ferched).

1870 – Merched yn dechrau cael rhai hawliau dros eu heiddo – Deddf Eiddo Gwraig Briod.

1876 – Deddf i ganiatáu derbyn merched i'w hyfforddi i fod yn feddygon.

1886 – Derbyn merch am y tro cyntaf i Goleg Prifysgol Aberystwyth.

1891 – Gwahardd gŵr rhag gorfodi ei wraig i fyw ag o yn groes i'w hewyllys.

1892 – Cychwyn yr ILP (Independent Labour Party).

1893 – Merched Seland Newydd yn cael y bleidlais.

1897 – 20 o gymeithasau yn dod ynghyd dan faner yr NUWSS.

1900 – Sefydlu'r Blaid Lafur.

1902 – Merched Awstralia yn cael y bleidlais.

1903 – Cychwyn yr WSPU – Women's Social and Political Union – gan Emmeline Pankhurst, o aelodau yr ILP.

1906 – Merched y Ffindir yn cael y bleidlais.

1907 – Rhai merched yn cael sefyll i fod ar gynghorau sirol a bwrdeistrefol.

1908 – Y wraig gyntaf i gael bod yn Faer.

1909 – Gorffennaf: Marjorie Dunlop yn cychwyn streic newyn yng ngharchar Holloway.

Gaeaf: Rali Syffrajéts fawr ar Faes Caernarfon – y Syffrajét enwog Muriel Matters yn annerch y dyrfa.

1910 – Mai: Marw'r Brenin Edward VII.

Tachwedd: Protest Syffrajéts tu allan i Dŷ'r Cyffredin wedi i'r 'Conciliation Bill' fethu'r ail ddarlleniad. Llawer yn cael eu camdrin a'u brifo gan yr heddlu – y dydd yn cael ei alw'n 'Ddydd Gwener Du'.

1911 –

Ebrill: Cyfrifiad. Nifer yn gwrthod llenwi'r ffurflenni yn gywir mewn protest dros gael y bleidlais i ferched. Emily Wilding Davison yn cuddio mewn cwpwrdd yn Nhŷ'r Cyffredin er mwyn cael ei chofnodi yno yn y cyfrifiad.

Tachwedd: Y 'Conciliation Bill' yn hepgor merched yn gyfan gwbl o'r geiriad. WSPU yn gyrru llythyr i'r llywodraeth yn cyhoeddi bod eu cadoediad ar ben.

Rhagfyr: Emily Wilding Davison yn cael carchar am roi blwch postio ar dân.

1912 –

Gwanwyn: Ymgyrch malu ffenestri'n cychwyn o ddifrif ledled y wlad.

Ebrill: *Y Titanic* yn suddo.

Medi: Syffrajéts yn protestio yn ystod anerchiad Lloyd George yn Eisteddfod Wrecsam (Llun t156). Protest arall gan Syffrajéts wrth i Lloyd George agor neuadd bentref Llanystumdwy (Lluniau t167 a 169).

Hydref: Mrs Pankhurst yn annerch tyrfa o Syffrajéts yn yr Albert Hall yn Llundain a'u hannog i ddefnyddio dulliau gwrthryfelgar.

1913 –

Chwefror: Syffrajéts yn ceisio ffrwydro tŷ Lloyd George yn Walton Heath. Mrs Pankhurst yn hawlio cyfrifoldeb ac yn cael ei charcharu.

Ebrill: Cyflwyno'r 'Cat and Mouse Act' – rhyddhau Syffrajéts oedd ar streic newyn o'r carchar am gyfnod digon hir iddyn nhw adfer eu hiechyd, yna'u hailgarcharu.

– Syffrajéts yn cynnau tân yn Ysgol Caernarfon (llun t198)

Mehefin: Emily Wilding Davison yn cael ei lladd wedi iddi neidio o flaen ceffyl y brenin ar ddiwrnod y Derby mewn protest.

1914 – Cychwyn y Rhyfel Mawr

Mawrth: 'Slasher Mary' yn difrodi'r *Rokeby Venus* yn yr Oriel Bortreadau Genedlaethol mewn protest yn erbyn carcharu Mrs Pankhurst.

1915 – Merched Denmarc a Gwlad yr Iâ yn cael y bleidlais.

1918 – Merched Prydain (dros 30) yn cael y bleidlais.

1928 – Pob merch ym Mhrydain dros 21 yn cael y bleidlais.

1970 – Deddf Tâl Cyfartal.

Nofelau â blas hanes arnyn nhw

Straeon cyffrous a theimladwy wedi'u seilio ar ddigwyddiadau allweddol

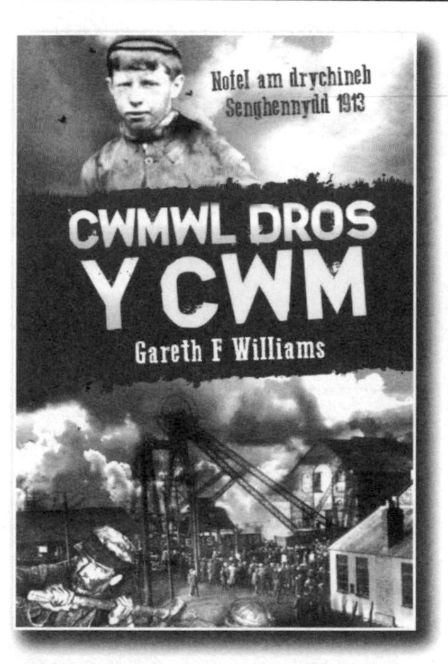

Enillydd Gwobr Tir na n-Og 2014

CWMWL DROS Y CWM
Gareth F. Williams

Nofel am drychineb Senghennydd 1913

Gwasg Carreg Gwalch
£5.99

Ychydig cyn 8.30 y bore ar 14 Hydref 1913, bu farw 439 o ddynion a bechgyn mewn ffrwydrad ofnadwy yng nglofa Senghennydd yn ne Cymru.

Dim ond wyth oed oedd John Williams pan symudodd ef a'i deulu o un o bentrefi chwareli llechi'r gogledd i ardal y pyllau glo. Edrychai ymlaen at ei ben-blwydd yn dair ar ddeg er mwyn cael dechrau gweithio dan ddaear. Ond roedd cwmwl du ar ei ffordd i Senghennydd ...

DARN BACH O BAPUR

Angharad Tomos

Nofel am frwydr teulu'r Beasleys dros y Gymraeg 1952-1960

Gwasg Carreg Gwalch

£5.99

Rhestr fer Gwobr Tir na n-Og 2015

Y GÊM

Gareth F. Williams

Nofel am yr ysbaid o heddwch a gafwyd ar Ddydd Nadolig 1914, yn ystod y Rhyfel Mawr

Gwasg Carreg Gwalch

£5.99

Enillydd Gwobr Tir na n-Og 2015

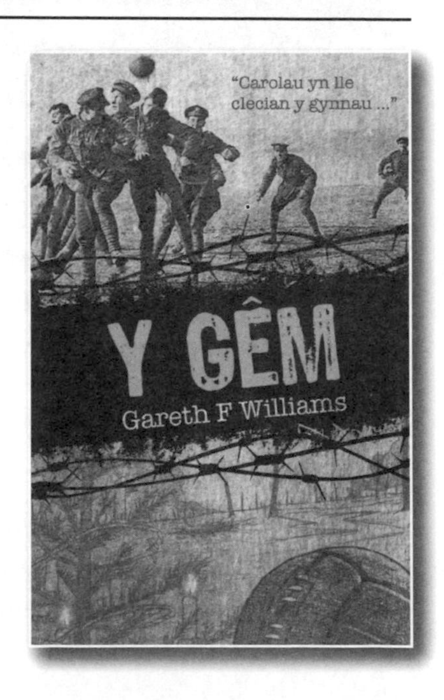

PAENT!
Angharad Tomos

Nofel am Gymru 1969 – Cymraeg ar arwyddion ffyrdd a'r Arwisgo yng Nghaernarfon

Gwasg Carreg Gwalch

£5.99

Rhestr fer Gwobr Tir na n-Og 2016

TWM BACH AR Y MIMOSA
Siân Lewis

Nofel am antur y Cymry ar eu taith i Batagonia yn 1865

Gwasg Carreg Gwalch

£5.99

YR ARGAE HAEARN
Myrddin ap Dafydd

Dewrder teulu yng Nghwm Gwendraeth Fach wrth frwydro i achub y cwm rhag cael ei foddi

Gwasg Carreg Gwalch

£5.99

Rhestr fer Gwobr Tir na n-Og 2017

DILYN CARADOG
Siân Lewis

Y Brythoniaid yn gwrthsefyll Ymerodraeth Rhufain dan arweiniad Caradog, ac un llanc yn dilyn ei arwr o frwydr i frwydr nes cyrraedd Rhufain ei hun

Gwasg Carreg Gwalch

£5.99

MAE'R LLEUAD YN GOCH

Myrddin ap Dafydd

Tân yn yr Ysgol Fomio yn Llŷn a bomiau'n disgyn ar ddinas Gernika yng ngwlad y Basg – mae un teulu yng nghanol y cyfan

Gwasg Carreg Gwalch

£5.99

Enillydd Gwobr Tir na n-Og 2018

GETHIN NYTH BRÂN

Gareth Evans

Yn dilyn parti Calan Gaeaf, mae bywyd Gethin (13 oed) yn troi ben i waered. Mae'n deffro mewn byd arall. A'r dyddiad: 1713.

Gwasg Carreg Gwalch

£5.99

Rhestr fer Gwobr Tir na n-Og 2018

PREN A CHANSEN
Myrddin ap Dafydd

"y gansen gei di am ddweud gair yn Gymraeg ..."

Mae Bob yn dechrau yn Ysgol y Llan, ond tydi oes y Welsh Not ddim ar ben yn yr ysgol honno.

Gwasg Carreg Gwalch

£6.99

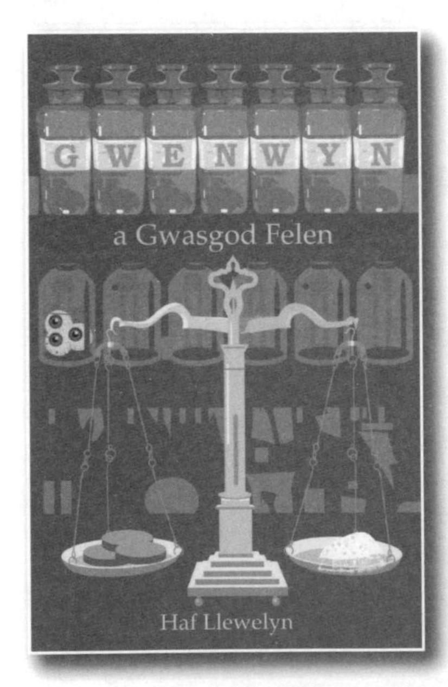

GWENWYN A GWASGOD FELEN
Haf Llewelyn

"Ei angen o i ladd y llygod acw wyddoch chi ..."

Mae ffermwyr Llanuwchllyn 1860 yn dlawd, ac mae'n rhaid iddyn nhw dalu'r Degwm. Dyma nofel am bobl gyffredin yn codi llais.

Gwasg Carreg Gwalch £6.99